REPUBLIQUE DE HAUTE-VOLTA

GRANDS MUSICIENS NOI[R]

«La fantastique musique qu'on entend
à la radio de nos jours, on l'entendait
il y a bien longtemps

dans les vieilles églises où les sœurs criaient
jusqu'à ce que leurs jupons tombent.»

Louis Armstrong

St.VINCENT

Lester Young
1909–1959

50c

REPUBLIQUE DU MALI

DUKE ELLINGTON

500F

POSTE AERIENNE 1984

CHESNOT

DELRIEU

«Dès l'instant où l'on m'a présenté à Duke,
je l'ai aimé. [...] Qu'il entre n'importe où,
l'endroit entier s'illumine.»
Sonny Greer

REPUBLIQUE DU MALI

SIDNEY BECHET

470 F

POSTE AERIENNE 1984

CHESNOT   DELRIEU

«Ce fameux rythme, il remonte de très loin.
Dans les spirituals, les gens battaient
des mains; dans le blues, ils se trémoussaient.»
Sidney Bechet

LES GRANDS COMPO

GEORGE GE

400F
POSTE AÉRIENNE ☆ REPUB

EURS DE MUSIQUE

N - 1898-1937

QUE DES COMORES

A rnaud Merlin est
né à Tours en 1963.
Après des études de
musique à la Sorbonne
et au Conservatoire
national supérieur de
musique de Paris
– où il obtient les prix
d'histoire de la musique
et d'esthétique – , il se
destine au journalisme.
Il collabore tout
d'abord à *Jazz Hot* et
à *Jazz à Paris*, puis au
Monde de la Musique
et à France-Musique.
Il est coauteur de
l'*Agenda du Jazz* 1989
et de *Jazz de France*.

F ranck Bergerot
est né en 1953.
Passionné par les
musiques populaires,
il s'est plus
particulièrement
consacré à la plus
savante d'entre elles,
le jazz. Ancien
collaborateur de *Jazz
Hot*, chroniqueur au
Monde de la Musique
et responsable de la
Discothèque de
Montrouge, il est
chargé de cours
d'histoire du jazz à
Paris-X. En 1990, il a
dirigé l'enregistrement
de l'anthologie «Paris-
Musette» qui a obtenu
le Grand Prix du
disque de l'Académie
Charles-Cros.

*1ᵉʳ dépôt légal : mai 1991
Dépôt légal : août 1997
Numéro d'édition : 83772
ISBN : 2-07-053142-2
Imprimerie Kapp Lahure
Jombart à Évreux*

L'ÉPOPÉE DU JAZZ
DU BLUES AU BOP

Franck Bergerot et Arnaud Merlin

DÉCOUVERTES GALLIMARD
MUSIQUE

Déportés d'Afrique de l'Ouest, depuis le XVIIᵉ siècle, les esclaves noirs d'Amérique ont connu un sort cruel : tribus et familles dispersées, rites et musiques interdits. Dépossédés de toute identité, ils n'ont plus que le grain de leur voix et la couleur de leur peau pour se réinventer un peuple, retrouver enfin une âme.

CHAPITRE PREMIER
LES CHANTS D'UN PEUPLE MARTYR

Danse en Sénégambie (à droite) et annonce de l'émancipation des Noirs (à gauche). Entre ces deux scènes, deux siècles d'esclavage ponctués par les premiers chants noirs américains.

Jamestown, Virginie, 1619. Les premiers Noirs venus d'Afrique débarquent en Amérique du Nord. Leur statut, équivalent à celui de domestiques sous contrat, paraît bien clément à côté de celui des millions d'esclaves qui prendront le même chemin durant plus de deux siècles. Les idées libérales du siècle des Lumières prévalurent dans le nord des Etats-Unis, où la traite des esclaves fut déclarée illégale dès l'indépendance. Mais les Etats du Sud, par besoin de main-d'œuvre, avaient bâti sur l'esclavage toute leur économie, en grande partie tournée vers la culture cotonnière. Déportées, décimées par de terribles conditions de traversée, dispersées sur les marchés d'esclaves, les populations noires eurent à se reconstituer une culture en s'appropriant et en réaménageant à leur convenance celle de leurs propriétaires d'origine européenne. Ce faisant, elles donnèrent naissance à une puissante tradition musicale qui bouleversa le XXe siècle en ouvrant une brèche dans le modèle culturel occidental. En servant d'influence et d'exemple aux sensibilités du monde entier, le jazz, secteur de pointe de la musique noire américaine, est devenu une expression universelle. Langage principalement instrumental, il n'en prit pas moins ses racines dans les cris et les chants des plantations du vieux Sud.

L'embarquement des esclaves répondait à des exigences de place. Arrimés par les négriers, à fond de cale, «emboîtés» les uns dans les autres, les Noirs vivaient la traversée dans des conditions de promiscuité peu propices à l'hygiène. Ainsi, rares étaient les voyages où le taux de mortalité des esclaves n'atteignait pas dix pour cent.

Arrachés à leurs cultures ancestrales, les Noirs inventent de nouveaux chants au rythme de leurs travaux

Entre les premières déportations d'esclaves africains et la véritable naissance du jazz, trois siècles plus tard, s'ouvre un espace musical en friche, où les Africains se voient dépossédés de toute pratique culturelle. Leurs maîtres n'eurent de cesse de confisquer ou de détruire les rares instruments reconstitués, parfois même rapportés d'Afrique de l'Ouest. Ils séparèrent les familles, dispersèrent les ethnies, interdirent la pratique des langues, des coutumes et des religions d'origine africaine. Contrairement à ce que l'on peut observer dans les Caraïbes, ou en Amérique latine, les survivances culturelles furent donc extrêmement limitées.

Cependant, des observateurs de plus en plus nombreux, notamment au XIXe siècle, ont fait état de pratiques vocales accompagnant les travaux des esclaves. Disséminés dans les champs, ceux-ci communiquaient par des appels entre le récit et le chant dont on trouve encore aujourd'hui des équivalents dans les campagnes américaines ou sur les marchés à la criée des Etats du Sud. Ces «field hollers» (cris des champs) ont laissé une forte impression sur tous les témoins de l'époque par leur scansion très marquée, leurs glissements mélodiques, les passages rapides de voix de poitrine à voix de tête, et ce grain très particulier des voix africaines. Le rythme, qui tient une place si importante dans les cultures d'Afrique, put s'épanouir dans les chants de travail ou «work songs» qui scandaient les travaux collectifs. Bénéfiques au rendement et nécessaires au moral de la main-d'œuvre, ils furent encouragés par les propriétaires et, après l'abolition de l'esclavage, on les pratiqua jusqu'à nos jours sur les chantiers du bâtiment, de l'exploitation minière, du chemin de fer ou dans les pénitenciers.

<u>Dès le XVIIIe siècle, les Noirs se réunissaient par centaines à l'occasion de la Pentecôte</u>

Ces rassemblements d'ordre festivalier, nommés «Pinksters» d'après une déformation du mot «Pentecoster», étaient limités aux Etats du Nord, les premiers à avoir affranchi les esclaves noirs. Les participants dansaient jusqu'à la transe, au rythme d'instruments de percussion largement dérivés de leurs anciens tambours africains. Dans le Sud, seule La Nouvelle-Orléans autorisa un recours aussi direct aux pratiques africaines.

Les observateurs se montrent généralement embarrassés pour rendre compte de ces évènements, et de leurs témoignages subsistent de nombreuses incertitudes. Les difficultés auxquelles se heurtèrent leurs efforts de description et de notation sont cependant révélatrices d'indications sur les constantes qui ont traversé la musique afro-américaine jusqu'à nos jours : liberté de mise en

Ci-contre, publicité pour une vente d'esclaves. Ci-dessous, un chantier ferroviaire. Après l'abolition de l'esclavage, les Noirs continuèrent à rythmer leurs efforts par des chants tel celui qui commence ainsi : «Ain't it hard, ain't it hard, ain't it hard to be a nigger, nigger, nigger, nigger ? For you can't get yo' money when it's due.» (C'est-y pas dur d'être un nègre ? Car tu touches jamais l'argent qui t'est dû.)

place sur une pulsation régulière, instabilité des timbres et des hauteurs, héritage des gammes africaines, variations spontanées. A ces données significatives il faut ajouter les caractéristiques des voix noires, la relation étroite que l'artiste entretient avec son quotidien, le goût de la pratique collective.

Coupés de leurs racines et privés de leurs dieux, les esclaves noirs trouvèrent leur place dans les Eglises

Les propriétaires hésitèrent quelque temps à les faire évangéliser, un chrétien ne pouvant être maintenu en esclavage. Ce principe gênant fut définitivement aboli par l'évêque de Londres en 1727. Le souci de moraliser une population susceptible de s'insurger et le paternalisme des classes possédantes laissèrent alors libre cours au travail de mission des Eglises qui, en dehors de quelques sectes minoritaires, admirent l'asservissement des Noirs. Les esclaves fréquentèrent alors les églises blanches jusqu'à ce que la ségrégation se généralise, en réaction aux idées anti-esclavagistes venues du Nord.

Devenus indépendants sur le plan religieux, les Noirs trouvèrent au sein des Eglises un premier lieu d'expression et de prise de responsabilités. L'évangélisation avait été menée majoritairement par les méthodistes et les baptistes. Ceux-ci voyaient dans l'authenticité de la foi religieuse des classes défavorisées le point de départ d'un réveil des mentalités contre l'embourgeoisement qu'ils déploraient chez les nantis. Bien plus, en rupture avec le calvinisme déterministe, obtenir le salut de l'âme, dans l'au-delà, relevait à leurs yeux du libre arbitre de chacun. La conversion et la prière étaient vécues comme une expérience du pardon de Dieu, accordé lors de crises de possession. Les Noirs trouvèrent

La plantation de cacao. Frederik Olmster décrit ainsi un «holler» entendu dans une plantation : «Quelqu'un lança un son tel que je n'en avais jamais entendu auparavant, un grand long cri musical qui s'éleva puis s'éteignit en se cassant dans les aigus...

de la sorte une théologie de l'espoir qui répondait à leur malheur et un culte peu formel, compatible avec l'héritage africain. A travers les prêches exaltés, les répons improvisés, les hymnes collectifs et les scènes d'hystérie, les Noirs plièrent la liturgie à leurs habitudes, leur sensibilité, laissant ainsi s'épanouir la spontanéité de leur ferveur religieuse.

<u>Les Noirs adaptèrent, sous la forme du negro spiritual, la tradition protestante des Blancs</u>

Dans un premier temps, les Noirs reprirent globalement le répertoire des Blancs, en particulier les hymnes méthodistes de John Wesley. Les

... Sa voix résonnait, à travers les bois, dans l'air clair et glacial de la nuit, tel un clairon. Tandis qu'il était repris par un autre, puis par un autre et par plusieurs autres en chœur.»
Frederik Olmster, cité par J. Lincoln Collier, *L'Aventure du jazz*, Albin Michel, 1981

nombreux contacts entre Blancs et Noirs étaient encore facilités par le mouvement de «réveil» («awakening») très important au sein de la communauté protestante américaine dès la fin du XVIIIe siècle.

Mais peu à peu, les pratiques profanes des Noirs américains imprégnèrent ce répertoire religieux. On retrouva dès lors, sur le plan musical comme sur celui des textes, des éléments communs aux deux expressions. Ce qui, dans l'Ancien Testament, se rapportait au peuple exilé d'Israël trouva bientôt une résonance particulière auprès des esclaves noirs. Ceux-ci attribuèrent à la «Terre promise» et au Jourdain, entre autres, un double sens relatif aux espoirs de liberté : les villes du Nord, le Canada, et le fleuve Mississippi, lieu de passage privilégié, remplaçaient dans leur mystique les significations originelles des versets bibliques.

Cette prière chantée (le «spiritual») s'accompagnait souvent d'une danse rituelle, dont la forme la plus

En Angleterre au XVIIIe siècle, afin de réactiver la foi protestante, le pasteur John Wesley prêcha le méthodisme devant d'immenses assemblées. Aux Etats-Unis, durant le «second awakening», les «revival meetings» ou «camp meetings» (ci-dessous) s'en inspirèrent : des nuits durant, des centaines de fidèles se rassemblaient dans les bois ou les campagnes à la lueur de feux de camp pour chanter et écouter des prêches exaltés qui portaient à la transe. Les Noirs y avaient leurs propres campements jouxtant ceux des Blancs.

courante prit le nom
de «ring shout» (cri en
cercle) : il s'agissait pour
les assistants de tourner en
rond l'un derrière l'autre en
laissant traîner les pieds, tandis qu'un ou
plusieurs «shouters» (crieurs), entonnaient
le spiritual repris ensuite par l'ensemble de
l'assistance. On retrouvait là des éléments
musicaux propres à la
communauté blanche : le répons
(un chant alterné entre l'officiant
et l'assemblée), le répertoire des
hymnes protestants, l'harmonisation
à l'européenne. Une figure de
terminaison, en particulier, devint
caractéristique du spiritual.
Les Européens l'employaient
déjà dans leurs hymnes,
notamment pour harmoniser
le mot *amen*. Cette figure,
qui conduit de l'accord de
fa sur celui de *do* dans la tonalité de *do majeur*,
subsiste encore aujourd'hui dans les musiques
profanes héritées du spiritual. Mais ces apports se
sont vus détournés peu à peu de leur esprit originel :
le répons s'est africanisé en s'ouvrant à
l'improvisation, le chant a connu une pulsation
nouvelle accentuée à contretemps, le parcours
harmonique s'est adapté au sens mélodique africain.

Issu du negro spiritual, le gospel song marque profondément l'ensemble de la musique populaire de notre siècle

Dès l'affranchissement des esclaves à la fin du XIXe
siècle, s'inspirant de ce répertoire d'église, souvent
édulcoré pour plaire au public blanc, un certain
nombre de groupes vocaux constitués de Noirs
américains adapta le spiritual au concert : ainsi,
venus de la Fisk University, l'une des premières
universités noires créées après l'abolition de
l'esclavage, les Fisk Jubilee Singers se produisirent
en tournée à partir de 1871. Mais le spiritual

« Philanthropie
moderne»,
caricature de juin
1893 à propos de la
libération aux Antilles.
Considéré avec une
bienveillance toute
paternaliste du temps
de l'esclavage,
le Noir, une fois libéré,
est rejeté par la société
blanche. Caricature
du nègre, brave mais
simplet, la chanson
Jump The Jim Crow
sert désormais
à désigner les lois
ségrégationnistes
sous l'appellation
de «lois Jim Crow».

authentique ne disparut pas pour autant. Il se vit même revivifié par la création des Eglises sanctifiées, notamment, en 1895, celle de la Church of God in Christ. Un peu plus tard, une seconde forme de chant religieux, propre au peuple noir américain, trouvait dans le spiritual sa principale source d'inspiration. Le

«gospel song» (chant évangélique) propulsa sur les planches, dès les années vingt, les prêcheurs et les chanteurs les plus célèbres. Le XXᵉ siècle connut un va-et-vient ininterrompu entre le spiritual, réservé au temple, et le gospel, destiné à la scène, qui influença toute la musique populaire noire américaine et engendra lui-même, dans les années cinquante, un genre tout à fait profane, la «soul music».

Chantées par les Noirs, les ballades folkloriques des Blancs se teintent de «notes bleues»

A la pratique collective du spiritual, le «blues» répondit comme expression individuelle. On imagine que dès la période de l'esclavage, il y eut le soir, dans les cases, des berceuses et des récits psalmodiés. Réminiscence de pratiques africaines, ces chants solitaires subirent rapidement l'influence du folklore européen des campagnes. Ils se généralisèrent lorsqu'à l'issue de la guerre de Sécession les grandes propriétés furent morcelées et la communauté noire dispersée à la recherche d'un emploi.

Chronique de la vie quotidienne destinée à colporter les faits divers et à chanter l'amour, la ballade américaine fut infléchie par les chanteurs noirs qui l'enrichirent des principales caractéristiques du work song : rugosité de la voix, sensualité du timbre et du phrasé, primauté du tempo sur la forme. Dans les blues parlés (les«talking blues»), celle-ci pouvait même disparaître complètement au profit de textes

« Une des esclaves m'a dit : J'aime *Poor Rosy* plus que n'importe quelle autre chanson, mais pour bien la chanter, il faut avoir le cœur gros et l'esprit inquiet» (Charlotte Forten, *A Free Negro in a Slave Era*, cité par G. Herzhaft, *Le Blues*, P.U.F., 1981. Ci-dessous, «*The Song of Mary Blave*», peinture de 1870).

improvisés, entre la récitation et le chant, sur une simple pulsation qui n'était pas toujours mesuré. Il n'y avait rien là pour faciliter la tâche des observateurs dont les descriptions nous sont parvenues.

Ceux-ci se heurtèrent en particulier à une difficulté majeure : rendre compte de l'intonation mélodique propre aux Noirs américains. Le chanteur d'origine africaine était gêné par la répartition des hauteurs de la gamme occidentale dite «tempérée», surtout par les troisième et septième degrés (respectivement *mi* et *si* dans la gamme de *do*). Il infléchissait le *mi* vers le *mi bémol*, hésitant entre les deux, glissant de l'un

Au XIXe siècle, une collectrice de chants d'esclaves, Lucy Mac Kim Garrison, écrit : «Il est presque impossible d'exprimer totalement le caractère des chants d'esclaves de couleur, en utilisant simplement la notation musicale habituelle. Les multiples inflexions inattendues, produites par la gorge des vocalistes, et les étranges effets de rythme [...] me semblent presque aussi difficiles à noter sur une partition, que le chant des oiseaux.» L'illustration idyllique ou caricaturale des partitions, jusque dans les années trente, ne fit qu'exagérer l'abîme qui séparait l'édition musicale des réalités de la musique noire.

à l'autre. Ce faisant, il introduisit dans la gamme de *do majeur* des notes caractéristiques de la gamme mineure, chantant volontiers la tierce mineure (*mi bémol*) lorsqu'il plaquait sur sa guitare l'accord majeur comprenant un *mi*. Ces notes troublantes, qui associaient au mode majeur la mélancolie propre au mode mineur, et déstabilisaient les accords par leurs contradictions internes, on les appela les «blue notes» (notes bleues). Les lignes mélodiques des chanteurs noirs américains empruntaient fréquemment une troisième blue note, *sol bémol* dans la gamme de *do*. Ces trois blue notes

inaugurèrent les fondements d'un monde harmonique et mélodique nouveau : celui du blues. Bien plus, leur étrangeté encouragea par la suite les audaces harmoniques qui conduisirent au jazz moderne, sans passer par la réflexion théorique dont les musiciens noirs furent longtemps privés.

Une couleur bleue pour peindre la douleur du Noir

Cette couleur bleue devint l'expression de la douleur que les ballades noires avaient pour thème. On fait remonter la terminologie du blues en Angleterre au XVIᵉ siècle, l'état dépressif étant alors attribué à l'emprise des «blue devils» (les diables bleus). «A fit of blues» (un coup de cafard), courant au début du XIXᵉ siècle outre-Atlantique, donna «I am blue» (je suis déprimé) ou «I have the blues» (j'ai le cafard), expressions qui traduisaient parfaitement ce que ressentait la population noire après la brève lueur d'espoir qui suivit l'abolition de l'esclavage, à l'issue de la guerre de Sécession.

En effet, meurtrie par la défaite qui vit la confiscation et le morcellement de ses propriétés, privée de la main-d'œuvre gratuite qui faisait sa prospérité, humiliée par l'égalité soudaine d'une population qu'elle avait toujours méprisée, la société sudiste instaura la plus stricte ségrégation, tandis que se multipliaient à l'égard des Noirs les actions violentes et illégales, spontanées ou organisées par le Ku Klux Klan.

Les anciens esclaves durent faire le douloureux apprentissage de la liberté, dans un monde qui leur était violemment hostile et leur refusait les droits civiques élémentaires. Devenus sous-prolétaires, ils découvrirent alors la propriété dans le plus grand dénuement économique, l'isolement du petit métayage,

Noire libre venue du Nord pour alphabétiser les esclaves d'Edito Island en Caroline, Charlotte Forten nous a laissé son journal, publié sous le titre *A Free Negro in a Slave Era*. A la date du 14 décembre 1862, alors qu'elle vient d'entendre les cris des quartiers d'esclaves, elle utilise pour la première fois le mot blues : «Je suis rentrée de l'église avec le blues, me suis jetée sur mon lit et pour la première fois que je suis ici, je me suis sentie très triste et très misérable» (cité par G. Herzhaft, *op. cit.*).

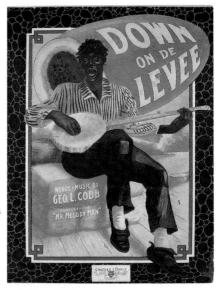

la promiscuité des grandes villes, le chômage et le vagabondage.

Alors que s'évanouissait l'espoir en un jour meilleur, ils s'abandonnèrent au blues avec résignation. Cet état d'esprit, les chanteurs noirs le revendiquèrent comme essentiel à leur art et en firent un genre avant même de lui attribuer une forme musicale précise. Les paroles traitaient de la misère économique («No food on my table and no shoes on my feet» chante John Lee Hooker dans *No Shoes* : Rien à manger sur ma table et pas de chaussures à me mettre), de la misère affective et sexuelle, du chômage, de l'errance, la maladie et... du blues lui-même salué comme un compagnon par Leadbelly dans son célèbre *Good Morning Blues* («Bonjour le blues, comment vas-tu ?»).

Ci-dessus, un lynchage de Noirs dans l'Indiana. C'est une scène similaire qu'évoque Billie Holiday dans sa chanson *Strange Fruit* : «Des arbres du Sud pendent d'étranges fruits [...], des corps noirs se balançant dans la brise sudiste : d'étranges fruits pendent des peupliers» (poème de Lewis Allen traduit par Marc-Edouard Nabe, *L'Ame de Billie Holiday*, Denoël, 1988).

Le blues commente souvent l'actualité, mais il le fait à la première personne, sur le ton autobiographique. Le langage utilisé est celui de la vie quotidienne, souvent argotique, parfois obscène, toujours résigné. Musicien itinérant, vivant en marge par obligation (on compte beaucoup d'aveugles) ou par goût (inadaptation à la vie sociale), le bluesman s'affiche généralement dans ce qu'il a de plus faible : il est menteur, paresseux, coureur, infidèle, lubrique, parfois même grand criminel, et il le déplore sans être vraiment bien certain de pouvoir se corriger. Cependant, de même qu'il nous reste un répertoire de blues traitant de thèmes plus joyeux sur des tempos plus enlevés qu'à l'accoutumée,

« T he First time I met the blues, Mama, they came walking through the wood / They stopped at my house first, Mama, and done me all the harm they could.» (La première fois que j'ai rencontré le blues, Mama, il s'en venait à travers le bois / S'est d'abord arrêté chez moi, Mama, et m'a fait tout le mal qu'il pouvait). Extrait d'un blues de Leadbelly. Ci-dessous, membres du Ku Klux Klan.

il arrive aussi au bluesman, à la suite d'une révélation, de prêcher la bonne parole des spirituals. Le mauvais exemple de sa vie antérieure (adultère, mensonge, alcoolisme…) reste alors souvent inscrit à son répertoire thématique mais sur le ton du repentir.

Sous les feux de la scène, le blues se choisit une forme définitive

Seule survivance de la lutherie africaine, le banza (également décrit sous les noms de bania, bangoe ou banjar) donna naissance au banjo cinq cordes. Mais les bluesmen lui

Pour Big Bill Broonzy (ci-contre), le blues parle de «choses qu'on a vécues : avoir été traité d'une certaine manière, avoir été contraint de faire un travail qu'on n'aime pas; avoir été trahi par votre femme qui s'est tirée avec votre meilleur ami, votre pote de toujours ou encore, avoir perdu tout votre argent aux dés ou aux cartes dans un tripot. Si un homme sans le sou a le sommeil si profond, c'est parce qu'il est complètement démuni au départ, et que fait-il en se réveillant? Il se lève et se soûle pour oublier ses ennuis. Plus il boit, plus il se sent mal et plus il s'enivre. Et il pense à sa femme, à sa pauvreté et à son mauvais patron. Que reste-t-il d'autre à un pauvre gars contre toutes ces choses qu'on lui a faites? Il va donc au café et se fiche pas mal de savoir si les trains arrivent à l'heure ou non. Ensuite il devient trop paresseux pour travailler, parvient à obtenir une bouteille de whisky à crédit, se soûle, pleure et chante le blues» (William Lee Conley Broonzy et Yannick Bruynoghe, *Big Bill Blues*, Ludd, 1987).

préférèrent la guitare, plus adaptée aux climats intimes du blues. Elle répondait au chant en un véritable dialogue, imitant la voix par ses inflexions (torsions des cordes) et ses glissandos (utilisation fréquente d'un «bottleneck», goulot de bouteille passé au doigt et glissant sur les cordes). Le violon, très répandu dans les campagnes américaines, laissa progressivement la place à l'harmonica, instrument idéal de l'errance, plus apte à se rapprocher de la voix humaine.

Le blues empruntait les trois accords qu'utilisait la ballade américaine (premier, quatrième et cinquième degrés, soit en *do* : *do, fa, sol*), mais selon des schémas qui restèrent longtemps incertains. Peu à peu, des structures standardisées s'imposèrent mais le chanteur, qui improvisait ou modifiait souvent ses paroles, pouvait ajouter quelques mesures, voire quelques fractions de mesure, certaines phrases se terminant dans une relative incertitude métrique.

La fixation de la forme se fit dans les vingt premières années de ce siècle avec l'exploitation du blues par l'édition, l'industrie du spectacle puis celle du disque. Les compositeurs à succès comme W.C. Handy, les orchestres de variétés, les «jazzbands» et les grandes chanteuses noires qu'ils accueillaient en leur sein (Bessie Smith, Ma Rainey…) popularisèrent le blues dans des interprétations sophistiquées, orchestrées pour la scène du music-hall. La forme académique en douze mesures devint alors l'un des canevas standard du jazz, mais s'imposa également à l'ensemble du blues rural. Celui-ci profita de la place que lui firent à partir de 1924 les «race records» (collections de disques destinés à la bourgeoisie noire naissante).

B essie Smith (à gauche), très appréciée du public noir dès 1923, grâce à la célèbre chanson *Down Hearted Blues*.

Ainsi faut-il attendre la naissance du jazz pour que le blues prenne forme, sorte de l'anonymat et quitte sa région d'origine, le delta du Mississippi. De la Côte Est à la Californie il diversifiera ses styles, s'urbanisera et s'électrifiera, menant une aventure distincte de celle du jazz. Il présidera à la naissance du rock et fusionnera avec le gospel dans le «rhythm'n'blues». Musique plus savante, évoluant vers un relatif élitisme, le jazz ne le perdra pourtant jamais de vue, se référant constamment au schéma de ses douze mesures, mais aussi à sa profondeur expressive. N'est-ce pas de la voix des anciens chanteurs du Delta qu'il tira le timbre chaleureux de ses instruments? N'est-ce pas de leur pulsation qu'il apprit à swinguer? N'est-ce pas à l'écoute de leurs blue notes que, plus ou moins consciemment, il s'inventa un bagage d'audaces harmoniques qui fit de lui une musique savante?

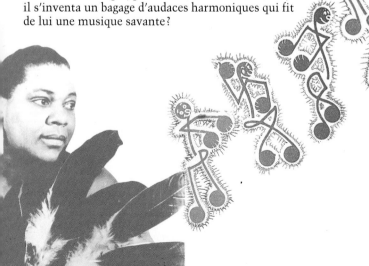

W. C. Handy's FAMOUS
The MEMPHIS BLUES
(OR MR CRUMP)
With BOOGIE-WOOGIE Accompaniment
BY J. RUSSEL ROBINSON
WORDS BY
J. RUSSEL ROBINSON
MUSIC BY
W.C. HANDY
DY BROTHERS MUSIC CO. INC.
"The Home of the Blues"
1587 BROADWAY, NEW YORK, N.Y.
MADE IN U.S.A.

Au sortir de l'esclavage, les Noirs américains s'approprient la lutherie européenne : les instruments à cordes des bals de campagne, les pianos des salons bourgeois, les instruments à vent et à percussion des fanfares. Sous l'influence de la tradition européenne, les Noirs inventent une grande école de piano : le ragtime. Dans les bouges et la rue de La Nouvelle-Orléans une folle musique prend naissance : le jazz.

CHAPITRE II
LE JAZZ EST NÉ !

« A l'époque, à La Nouvelle-Orléans, il y avait toujours quelque chose de chouette, toujours en musique» (Louis Armstrong). Page de gauche, scène de carnaval avec le trompettiste Bunk Johnson.

Les Blancs, fascinés par la musique des Noirs, furent à l'origine des premiers spectacles de musique noire

Dès 1840, le visage noirci au bouchon brûlé, ils interprétèrent, sous un jour caricatural, ce qu'ils connaissaient de la musique noire dans des spectacles itinérants, les «minstrel shows». C'est à la même époque qu'ils s'approprièrent le seul instrument qui fut propre aux Noirs, le banjo, bientôt devenu l'instrument de la paysannerie blanche. En contrepartie, les Noirs qui montèrent par la suite leurs propres minstrel shows eurent recours au «string band» des fermiers (orchestre à cordes composé d'un violon, d'une guitare, d'une mandoline et d'un banjo cinq cordes) en reconstituant les instruments avec des moyens de fortune.

Les propriétaires blancs aimaient entendre leurs polkas et quadrilles ainsi joués et, pour leurs réceptions, ils s'offraient souvent les services de ces orchestres noirs dont l'exotisme les ravissait. Il est vrai que ces musiciens, endimanchés pour l'occasion, forçaient souvent le ridicule de leurs attitudes et de leurs accoutrements, se livrant eux-mêmes à une sorte de parodie de la société blanche. Ainsi le «cake walk» (danse du gâteau), en vogue dans la seconde moitié du siècle dernier, fut d'abord une occasion de singer les danses maniérées des Blancs avant de devenir la source du ragtime.

Les Black Minstrels. «Juste avant la fin du bal, une procession de couples se pavana sous l'œil critique d'une douzaine de personnes. Celles-ci offrirent au couple le mieux tourné un plum cake.» Témoignage d'une voyageuse anglaise sur l'origine du cake walk.

Aux côtés du spiritual et du blues, le ragtime constitue la troisième source essentielle du jazz

De plus en plus, en effet, les Noirs eurent accès au piano dans les salons de la bourgeoisie blanche. En syncopant la ligne mélodique (selon la terminologie européenne qu'ils avaient assimilée), ceux-ci «mirent le temps en lambeaux» d'où le terme de «ragged time» (temps déchiré). Tandis que la main droite

répétait à l'envi des formules accentuées en décalage rythmique, la main gauche utilisait la «pompe», c'est-à-dire qu'elle posait les basses sur les premier et troisième temps et les accords dans le médium du clavier sur les temps pairs. Il lui arrivait aussi de se servir de basses «qui marchent» («walking bass»), accompagnant en contrepoint sur chaque temps la ligne mélodique de la main droite.

Dans le Missouri, à Sedalia, un homme écrivait des rags avec le même sérieux qu'il avait étudié les compositeurs romantiques, Liszt et Chopin en tête. Il «composait» au sens européen du terme, structurant ses rags avec soin en plusieurs airs répétés selon la forme du rondo, précisant les tempi en recommandant bien d'éviter les éclats de virtuosité. Il s'appelait Scott Joplin. Il fit bientôt la connaissance de son éditeur, John Stark, à Saint Louis, la ville où résidaient également Tom Turpin, James Scott et Joseph Lamb. A La Nouvelle-Orléans, la figure emblématique de Ferdinand Joseph LaMothe, alias

Les Noirs s'approprient les instruments européens (ci-dessous, un orchestre de saxophones en 1887). Au même moment, s'emparant du piano, ils inventent le ragtime. Jelly Roll Morton raconte : «Pour surpasser ces bonshommes-là, il fallait se lever matin; mais quand Tony Jackson entrait, celui d'entre eux, n'importe lequel, qui se trouvait au piano, se levait immédiatement. S'il ne l'avait pas fait, quelqu'un aurait crié : "Quittez ce piano. Vous lui faites mal! Cédez la place à Tony!"» (Alan Lomax, *Mister Jelly Roll*, P.U.G., 1980).

Ci-dessus, Louis Armstrong élu «Roi des Zoulous» selon la coutume du mardi gras à La Nouvelle-Orléans. Ci-contre, Al Jolson. La couleur de peau et la morphologie des Noirs auront été l'objet de tous les fantasmes pour la société blanche, fascinée par les visages grimés des minstrels. Ainsi, dans le film *Le Chanteur de Jazz*, un Juif (Al Jolson) doit se noircir le visage pour trouver du travail. Les rôles noirs furent même longtemps tenus par des Blancs maquillés. Lorsque les Noirs parurent enfin à l'écran ou sur la scène, ce fut d'abord dans des rôles caricaturaux, souvent tenus par des jazzmen tels que Louis Armstrong ou le chanteur et danseur de claquettes Bill Robinson.

«Jelly Roll» Morton, ne doit pas faire oublier le compositeur de la «danse nue» (*Naked Dance*), Tony Jackson. La folie du ragtime, qui déclencha l'intérêt de nombreux observateurs jusqu'en Europe, se perpétua dans les années vingt à New York et en particulier à Harlem, où les pianistes du style «stride» reprirent à leur compte les acquis du rag.

Toute la musique américaine s'empara du ragtime : les fanfares blanches ou noires; le jazz qui emprunta régulièrement ses thèmes et ses structures jusque dans les années trente; la musique de variétés américaine qui l'intégra à son répertoire; le string band des Appalaches qui l'interpréta à sa façon; enfin, bluesmen de la Côte Est et guitaristes country adaptèrent à la guitare la basse alternée du piano ragtime.

Au début du siècle dernier, La Nouvelle-Orléans était une ville tout à fait singulière

Ouverte sur les Caraïbes et bénéficiant d'un climat propice à la vie en plein air, la capitale de la Louisiane (colonie française jusqu'en 1803) était une ville du Sud, presque une ville latine. La vieille souche française catholique y avait cultivé une tradition de libéralisme, en contraste total avec le reste de l'Amérique puritaine. La vocation portuaire de la ville avait contribué à y développer toute la gamme des lieux de plaisir, du simple débit de boissons au bordel de luxe.

Les autorités avaient certes cherché à contenir ces établissements dans le quartier réservé dit de «Storyville», mais l'intense activité qui y régnait, et particulièrement l'activité musicale, n'était qu'un reflet de l'animation de la ville entière. Les musiques de tous styles se faisaient entendre

Né en 1868, Scott Joplin commence sa carrière comme pianiste de saloon à Saint Louis. Mais c'est à Sedalia qu'il se fixe en 1896. Le succès de son *Maple Leaf Rag*, en 1899, en fait le plus célèbre des compositeurs de rags. Mais il est aussi l'auteur de *Treemonisha*, surnommé l'opéra noir, dont la première représentation, en 1915, connaît l'échec. Il meurt en 1917, au moment même où le jazz émerge de l'inconnu. Les éléments précurseurs de son œuvre ne seront reconnus que bien plus tard, notamment par le compositeur américain Gunther Schuller.

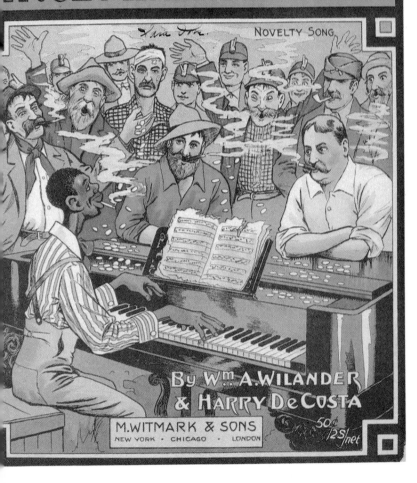

partout, du simple salon de coiffure aux salles de concert. On y comptait notamment de nombreux orchestres classiques où musiciens blancs et musiciens de couleur se côtoyaient souvent. On relève même l'existence d'une Negro Philharmonic Society datant de 1830.

L'une des particularités de La Nouvelle-Orléans était son importante communauté créole, issue des nombreuses relations extra-conjugales que les propriétaires blancs semblent s'être autorisées avec leurs esclaves. Plus particulièrement les propriétaires français, qui continuèrent après l'émancipation des Noirs à entretenir des maîtresses de couleur, et qui avaient réservé un statut spécial à leurs esclaves au teint plus clair, les affranchissant en de nombreuses occasions. Distincts des Noirs de race strictement africaine, les Créoles considéraient ces derniers avec mépris, affichant volontiers leur éducation à l'européenne et leur standing. Aussi furent-ils nombreux à recevoir une formation musicale et à briller par leur virtuosité dès l'époque du ragtime. Mais, rejetés par les lois raciales qui les considéraient de toute façon comme «nègres», ils restèrent en contact avec les autres musiciens noirs. L'émulation entre les deux communautés constitua un facteur extrêmement stimulant pour la genèse du jazz.

Noirs et Créoles investirent les fanfares

La Nouvelle-Orléans fut l'un des rares endroits des Etats-Unis où la musique africaine eut droit d'expression au temps de l'esclavage. Tous les dimanches et jours de fête jusqu'à la fin du siècle dernier, les Noirs vinrent à Congo Square danser et célébrer leurs rites au son du tambour. Alors que ces coutumes s'éteignaient à peine, la même communauté noire s'emparait des nombreux instruments de fanfare délaissés par les armées dissoutes après la guerre de Sécession et la guerre hispano-américaine. Ne sachant pas lire la musique,

Les Dixie Syncopators de King Oliver, en 1926, à Chicago. Quelques-uns des plus brillants musiciens issus de La Nouvelle-Orléans sont ici réunis. De gauche à droite, le banjoïste Bud Scott, le batteur Paul Barbarin, et, à son côté, King Oliver. Aux clarinettes et saxophones, Darnel Howard (de Chicago), Albert Nicholas et Barney Bigard.

King Oliver's Dixie Syncopators
Plantation Cafe

Revue nègre dans le quartier sud de Chicago, en 1915. Le fond de scène représente un de ces riverboats qui effectuaient le trajet de La Nouvelle-Orléans à Saint Louis, sur le Mississippi. Louis Armstrong, Freddie Keppard, Johnny et Baby Dodds se produisirent sur l'un de ces bateaux à roues, au sein de la formation de Fate Marable.

contrairement aux Créoles, ces nouveaux interprètes jouaient d'oreille. Leurs habitudes rythmiques se démarquaient singulièrement de la tradition militaire. Aussi le style des fanfares prit un tour nouveau, d'autant plus qu'aux marches, quadrilles et

C i-contre, un «wagon band». «L'orchestre était assis sur des chaises dans le chariot, le trombone et la basse au bout, du côté où l'on baisse la ridelle. Les gens venaient de tous les environs et se groupaient autour du chariot. Et un autre arrivait qui s'arrêtait. Un concours s'engageait : on tentait de surpasser l'autre. King Oliver et Kid Ory essayaient de les démolir tous» (Louis Armstrong, interview pour *Life*, 1966).

polkas se mêlèrent ragtimes, negro spirituals et blues.
   Une nouvelle musique apparut qui trouva dans les rues très animées de La Nouvelle-Orléans un contexte favorable à son épanouissement. Toutes les occasions étaient bonnes pour que se produisent ces orchestres : pique-niques des clubs de la ville, garden parties, cérémonies, fêtes de famille… Lors des enterrements, la fanfare accompagnait la famille au cimetière sur des musiques funèbres, puis retournait en ville sur des airs autrement plus gais et selon une allure plus débraillée que ne manquait pas de souligner

la «second line» (la deuxième ligne) des habitués qui gambadaient ou dansaient derrière les musiciens en ajoutant des percussions improvisées. Souvent, l'orchestre s'installait sur un chariot de déménagement. Il traversait la ville en musique pour annoncer quelque cérémonie ou festivité, se portant parfois même au-devant d'un autre «wagon band» pour des joutes musicales qui ravissaient les spectateurs. Les trombones se plaçaient alors en retrait sur le hayon arrière, se ménageant ainsi la place nécessaire à la coulisse, pour pratiquer un style spectaculaire tout en violents glissandos que l'on désigne sous le nom de «tailgate» (le hayon).

Ci-dessus, la carte de visite du fameux chef Henry Allen, père du trompettiste du même nom.

« Hot » signifie en anglais «chaud», «brûlant». Dans la terminologie du jazz, il désigne les interprétations expressives et imaginatives, par opposition aux exécutions «straight» (droites) des orchestres de salon qui ne laissaient aucune place à la variation.

Le mot servit dans les années vingt et trente à qualifier le jazz authentique, puis tomba en désuétude. Il fut utilisé cependant en de rares occasions pour désigner le contraire du «cool» (manière douce et retenue de jouer le jazz, dans les années cinquante).

Les trombones ponctuaient les mélodies que les trompettistes reproduisaient d'oreille, tandis que les clarinettes brodaient dans l'aigu

Le soutien rythmique était assuré par le tambour, la grosse caisse et les cymbales. Les orchestres d'intérieur qui faisaient danser la bourgeoisie blanche étaient souvent tenus par des musiciens créoles. En quittant les salons de la haute société pour les bouges, ils se débarrassèrent de leurs violons et suivirent l'évolution des fanfares vers un effectif plus réduit, avec un ou deux cornets, un trombone et une clarinette. La contrebasse à cordes, souvent

remplacée par la basse à vent (tuba ou soubassophone) soulignait les temps forts, tandis que le banjo à quatre cordes (plus sonore que la guitare) ou le piano se faisaient entendre en réponse sur les temps faibles. On renouait ainsi avec la basse alternée du ragtime et son «poum-tchic poum-tchic». On prit l'habitude de rassembler autour d'un seul et même instrumentiste les différents instruments à percussion de la fanfare (tambour, grosse caisse, cymbales) et ainsi naquit la batterie.

Jouant d'oreille, les interprètes s'éloignaient souvent des mélodies originales. Il s'agissait moins d'improvisations que de variations, selon des formules éprouvées. Au fil des années, le répertoire de ces formations d'origine européenne s'imprégna des principaux ingrédients qui caractérisaient blues et negro spirituals : la sonorité des instruments fut altérée pour reproduire le grain de la voix noire; les blue notes se multiplièrent; les mélodies originales furent soumises à des inflexions et des variations toujours plus grandes; le rythme à deux temps des marches vira progressivement au quatre temps, plus dansant; traditionnellement accentué sur les temps forts (le premier et le troisième), le rythme à quatre

Héritier du ragtime, Jelly Roll Morton (au piano, sur la photo), fut également un important compositeur. A la tête de son orchestre, il préfigura le rôle d'arrangeur : «Nous passions peut-être trois heures à répéter quatre faces, et, pendant ces trois heures, il nous montrait les effets qu'il désirait; par exemple, l'accompagnement d'un solo; il le jouait au piano avec un seul doigt et les musiciens l'harmonisaient» (Alan Lomax, *Mister Jelly Roll*, P.U.G., 1980).

temps tendit à appuyer les temps faibles (deuxième et quatrième temps), assouplissant et renforçant l'effet de déhanchement obtenu par les syncopes du ragtime.

En 1916, le musicien Freddie Keppard refusa d'enregistrer

En effet, ce cornettiste et chef d'orchestre aurait craint – dit-on – de voir ses concurrents copier son style. Aucun document sonore ne permet de vérifier ce que l'on sait du tournant pris par la musique instrumentale noire américaine au début du siècle à La Nouvelle-Orléans. On ne peut se faire qu'une idée très approximative du style de Buddy Bolden, cornettiste légendaire dont la réputation régna sur la ville dans les premières années du siècle. Il faut attendre le 26 février 1917 pour voir des musiciens de jazz entrer dans un studio d'enregistrement. Il s'agit d'un orchestre blanc, l'Original Dixieland Jazz Band (l'ODJB). Or, on s'accorde à penser qu'à cette époque les musiciens noirs s'étaient déjà émancipés des raideurs de la musique de fanfare – encore très perceptibles dans les enregistrements de l'ODJB –, malgré les quatre temps très nettement énoncés par la grosse caisse.

Le succès immédiat des premiers disques de l'ODJB révéla à l'Amérique, et bientôt à l'Europe, cette musique naissante et ce qui allait devenir son appellation la plus répandue : «jass» puis «jazz». Détournement du verbe français jaser ou allusion sexuelle ? Même l'origine du terme reste obscure. De multiples témoignages, plus ou moins fantaisistes ou contradictoires, nous permettraient de citer ici des

Le mot «créole» désigne les enfants de parents blancs nés dans les Caraïbes, par opposition aux immigrés tardifs. Pour les Américains, il s'applique aux mulâtres. La concurrence entre Créoles de couleur et Noirs de pure souche africaine fut probablement un facteur d'émulation pour le jazz naissant, les premiers s'appuyant sur leur éducation musicale, les seconds sur une approche plus spontanée. Les Blancs qui pratiquaient le jazz ne se démarquaient pas autant que les Noirs des habitudes rythmiques des marches, polkas et quadrilles, mais ce fut pourtant un orchestre blanc qui réalisa en 1917 les premiers enregistrements de jazz. L'Original Dixieland Jazz Band se fit ainsi connaître dans tous les Etats-Unis. D'autres orchestres blancs lui emboîtèrent le pas. Il fallut cependant attendre l'école de Chicago pour entendre des musiciens blancs s'exprimer au même niveau que leurs homologues noirs.

Ci-dessous, un orchestre blanc : l'Original New Orleans Jazz Band de Jimmy Durante.

dizaines de musiciens sans être certains de ne pas oublier quelque obscur génie de la clarinette, garçon coiffeur de son vrai métier. On sait encore que dans bien d'autres villes des Etats-Unis, les Noirs formaient des fanfares, mais que La Nouvelle-Orléans faisait déjà figure de modèle. Pour en savoir plus il faut attendre l'émigration des musiciens de La Nouvelle-Orléans vers les villes du Nord, où les disques se multiplièrent à partir de 1923. Il faut tenir compte d'une évolution certaine de la musique noire de La Nouvelle-Orléans après 1917. Mais la comparaison de ces enregistrements avec ceux de l'ODJB laisse supposer une avance des musiciens noirs sur les musiciens blancs de 1917 en matière de souplesse mélodique et rythmique.

« Dixieland » : ce mot signifie « Etats du Sud », mais il désigne aussi le style de La Nouvelle-Orléans. Probablement à cause de l'Original Dixieland Jazz Band, il qualifia surtout les orchestres blancs jouant dans le style Nouvelle-Orléans ou ceux issus du New Orleans Revival. Ci-dessous, le French Market à La Nouvelle-Orléans.

Les musiciens noirs remontent vers les Etats du Nord et leurs noms se font connaître dans les industries du disque et du spectacle. A Chicago, ils initient la première grande école de jazzmen blancs, tandis qu'à New York triomphe le piano stride et grandissent les premiers grands orchestres. Le jazz s'apprête à imposer ses codes et ses techniques au monde entier.

CHAPITRE III
VERS LE JAZZ CLASSIQUE

«Tous ces grands immeubles : je croyais que c'étaient des universités», raconte Louis Armstrong (à gauche), à propos de son arrivée à Chicago.

A Chicago, le style Nouvelle-Orléans fut fixé par l'enregistrement. Il s'y révéla alors un musicien d'exception : Louis «Satchmo» Armstrong

En 1917, la fermeture du quartier de Storyville à La Nouvelle-Orléans ne fit que précipiter un mouvement déjà engagé : les musiciens, comme beaucoup d'autres catégories sociales, quittaient le Sud rural pour le Nord industrialisé, depuis quelques années. Kansas City, New York et même la Californie connurent en masse ces nouveaux arrivants. Mais c'est à Chicago, troisième ville des Etats-Unis, premier port intérieur et lieu de passage essentiel, notamment sur le plan ferroviaire, que les plus grands d'entre eux choisirent de s'installer. C'est là aussi que les premiers témoignages enregistrés de cette musique fixèrent le style Nouvelle-Orléans. King Oliver, Louis Armstrong et Freddie Keppard au cornet, les clarinettistes Sidney Bechet, Johnny Dodds, Jimmie Noone et Omer Simeon, les pianistes Jelly Roll Morton et Earl Hines, les batteurs Baby Dodds et Zutty Singleton, ils sont tous là.

La capitale de l'Illinois comportait alors de nombreux lieux de musique. Beaucoup sont passés à la postérité à travers un titre de thème, tels l'Apex Club, le Royal Garden, le Sunset Café, qui accueillaient le Creole Jazz Band d'Oliver, les Red Hot Peppers de Morton, les Hot Five et Hot Seven d'Armstrong. Au début des années vingt, c'est là que le jazz, sous la conduite des meilleurs

Après les premiers enregistrements de l'Original Dixieland Jazz Band, il a fallu attendre six ans pour que les authentiques créateurs du jazz entrent en studio. Ci-dessous, le Hot Five (de gauche à droite : Louis Armstrong, John Saint Cyr, Johnny Dodds, Kid Ory, Lil Hardin).

musiciens noirs pour la plupart venus de La Nouvelle-Orléans, se débarrassa définitivement des syncopes encore un peu raides héritées du ragtime et du répertoire des fanfares, pour acquérir la souplesse de phrasé qui caractérisa les grands solistes de son âge classique. C'est là aussi que se généralisèrent la sophistication thématique et la pratique de l'arrangement, dont Jelly Roll Morton avait été le précurseur. C'est là enfin que les premiers grands improvisateurs dégagèrent leur voix de l'improvisation collective jusque-là prédominante. Louis Armstrong, le plus grand d'entre eux, y enregistra ses premières faces importantes, en 1923, sous la direction de King Oliver et en 1926, à la tête de son célèbre Hot Five. Note après note, il y fait preuve d'un sens inouï de la construction et d'une expressivité à fleur de peau servie par une puissance exceptionnelle qui font toujours référence.

Avant de choisir le saxophone soprano, Sidney Bechet débuta à la clarinette. «Ce petit démon qui n'avait que douze ans jouait mieux que Freddie Keppard» (Alan Lomax, *Mister Jelly Roll*, P.U.G., 1980).

Victor
For Dancing
Tiger Rag—One Step
(D. J. La Rocca)
Original Dixieland Jazz Band
18472-B

Avec «Satchmo» (de «satchel mouth», bouche en forme de bourse), le jazz connut en effet, sinon son premier soliste d'envergure (Bechet semble à ce titre l'avoir nettement précédé), son premier génie marquant; tout, chez lui, de la maîtrise de la sonorité à la variété des inflexions, de la construction mélodique au swing, omniprésent, en fit un styliste incomparable, et un modèle d'exception pour les générations suivantes.

Jelly Roll Morton (ci-contre, à droite).

A Chicago comme dans tout le pays, de jeunes musiciens blancs se prirent de passion pour la musique venue de La Nouvelle-Orléans

La musique de variétés blanche commençait à se teinter de jazz, donnant naissance à des hybrides plus ou moins intéressants tels que le «jazz symphonique» de Paul Whiteman, commanditaire de la fameuse *Rhapsody in Blue* de George Gershwin. Attirés notamment par le mode de vie des musiciens noirs et l'interdit que constituait alors pour un jeune Blanc la fréquentation des gens de couleur, les Chicagoans affichèrent cependant le raffinement de leur sensibilité par des sonorités tendres et retenues, des audaces harmoniques inspirées de la musique classique, une certaine tendance à l'arrangement, un

Après Kid Ory, King Oliver fut un des premiers à porter le message du jazz en Californie. Il y est photographié ici en 1921 avec (de gauche à droite) «Ram» Hall, Honoré Dutrey, Lilian Hardin, David Jones, Johnny Dodds, Jimmy Palao et Ed Garland.

souci de construction dans les solos improvisés. C'est ce dernier point qui caractérise tout particulièrement le saxophoniste Frankie Trumbauer et l'influence réciproque qu'il entretint avec son ami trompettiste-cornettiste Bix Beiderbecke, accentuant la fraîcheur de sa sonorité par la limpidité de ses phrases. Sur un plan plus médiatique, Bix Beiderbecke introduisit dans le monde du jazz une dimension romantique de l'artiste maudit, qui allait rester la marque du jazz blanc apparu sur la Côte Ouest des Etats-Unis dans les années cinquante.

Special Table d'Hote Dinner $1.50
2ND AN EXCEPTIONAL BEEFSTEAK DINNER $1.50
SERVED DAILY AND SUNDAY FROM 6 TO 9 P. M. | With Elaborate Entertainment Features, Including | SERVED IN THE "400 CLUB" ROOM.
The First Eastern Appearance of the
FAMOUS ORIGINAL DIXIELAND
"JAZZ BAND"
Untuneful Harmonists Playing "Peppery" Melodies
NIGHTLY AT MIDNIGHT GUS EDWARDS' INTERNATIONAL REVUE
With Mons. Vilani, Lillian Boardman and 8 Beauty Roses
GUS EDWARDS' NEWEST REVUE "ROUND THE CIRCLE"
Featuring Ruby Norton and Sammy Lee and a Company of 30
TWICE NIGHTLY AT 7:30 AND MIDNIGHT
JONIA and her SISTER Heavenly Hawaiian Twins with their South Sea Troubadours. | Private Dining Rooms, Halls, Ball Room, grill for parties. | Banquet Rooms Beefsteak
REISENWEBER'S

Au cours des années vingt, New York gagna le titre de capitale mondiale du jazz

Pendant ce temps, à New York, le jazz faisait peu à peu son chemin. Dès 1917, à Broadway, au restaurant Reisenweber, se produisait l'Original Dixieland Jazz Band. Non loin de là, sur la 28e Rue, surnommée Tin Pan Alley, croissait une véritable industrie de la chanson de variétés. Les auteurs-compositeurs qui s'y révélèrent (les frères Gershwin, Cole Porter, Jerome Kern, et bien d'autres), en grande majorité des Blancs, étaient

F ats Waller (ci-contre) rencontrait régulièrement ses concurrents dans les «rent parties». Il s'agissait de réunions dans un appartement, où en échange d'une contribution financière à la location, on offrait boissons et nourriture à l'assistance. Très populaires à New York dans les années vingt, elles étaient souvent le lieu de joutes nocturnes mémorables entre les grands du piano stride ou du piano boogie.

loin de méconnaître l'intérêt du jazz noir en pleine expansion. En retour, le répertoire de chansons qu'ils constituèrent fournit au jazz une part non négligeable de sa thématique, et nombreuses sont les mélodies de Tin Pan Alley à être jouées encore aujourd'hui par les jazzmen.

Parallèlement, au début des années vingt, un style pianistique improvisé hérité du ragtime écrit, le «stride» (marche à grandes enjambées), se développa à Harlem autour de quelques personnalités hautes en couleur : James P. Johnson (qui enregistre son célèbre *Carolina Shout* dès 1921), Willie «The Lion» Smith, et, bien sûr, le truculent pianiste-chanteur Fats Waller. Enfin, l'ouverture du Cotton Club (en 1923) et du Savoy Ballroom (en 1926) marqua l'entrée du jazz dans les revues à grand spectacle et les dancings. Dès lors, on vit apparaître des «big bands», de grandes formations qui comprenaient, outre la section rythmique (piano, basse, batterie, guitare ou banjo), trois sections instrumentales : trompettes, trombones

Ci-dessous, Bix Beiderbecke au sein de l'Original Wolverine Orchestra. Mezz Mezzrow disait à propos des Chicagoans : «Ces jeunes transfuges des quartiers rupins étaient fougueux, ardents, risque-tout et frétillants comme un troupeau de pouliches, avec tout de même un côté terriblement sérieux et sincère» (Mezz Mezzrow, et Bernard Wolfe, *La Rage de Vivre*, Buchet Chastel, 1950).

et anches (clarinettes et saxophones). C'est là, notamment avec Don Redman et Benny Carter, que les arrangeurs prennent une importance nouvelle. Le jazz orchestral ne pourra plus se passer de ces architectes de la texture sonore.

Lorsqu'il n'effraie pas, le jazz déroute

Celui qui écoute du jazz pour la première fois aura quelque difficulté à distinguer l'improvisation de l'exposé, à suivre le déroulement d'une interprétation, à comprendre ses fondements. Ce n'est pourtant pas là que réside le mystère du jazz. La durée musicale est mesurable. On la découpe en «mesures» elles-mêmes diversement organisées (mesures à trois ou quatre temps). Une mélodie se répartit sur un nombre de mesures donné. La musique s'inscrit également dans une organisation de l'octave, une échelle où, à partir d'une fondamentale *do* (par exemple dans la gamme de *do*), se succèdent sept notes jusqu'au retour du *do*, une octave plus haut. Ces sept degrés peuvent se répartir de différentes manières. Par exemple le troisième degré peut être majeur (*mi*) ou mineur (*mi bémol*), et bouleverser ainsi l'allure de l'échelle et la couleur générale de la mélodie qui l'emprunte.

Selon les degrés sur lesquels elle s'appuie dans une échelle donnée, la mélodie peut connaître différents états. Ces états peuvent être résumés par des structures de notes émises simultanément : les «accords» (exemples : *do-mi-sol-si, ré-fa-la-do, sol-si-ré-fa*). Ceux-ci constituent le support harmonique qui, dans la partie d'accompagnement, va suivre le cheminement de la mélodie et commenter ses différents états. Enfin, une mélodie peut passer d'une répartition des degrés à une autre dans l'échelle

Le kazoo, ou mirliton, est un petit tube en métal dans lequel on fredonne. La voix est alors altérée par la vibration d'une petite membrane. On s'en servait pour imiter la trompette dans les orchestres de rue très répandus à Memphis sous le nom de «jug bands» (jug désignant une cruche à l'orifice de laquelle on chantait des lignes de basse) ou «washboard bands» (washboard désignant des batteries de petites percussions montées sur une planche à laver).

Depuis 1932, année où il effectue son premier voyage européen, jusqu'à sa mort en 1971, Louis Armstrong (ci-dessous) est un infatigable ambassadeur du jazz dans le monde entier : «Je voyageais tout le temps. C'est ce qu'a été toute ma vie» (interview pour *Life*, 1966).

(lorsqu'en *do* par exemple on baisse le troisième degré *mi* en *mi bémol*, elle devient mineure). La mélodie peut emprunter successivement des échelles construites sur des fondamentales différentes et l'on verra apparaître des notes étrangères à l'échelle de départ. On dit alors de la mélodie qu'elle «module».

Les musiciens de jazz se livrèrent d'abord à des ornementations, puis à des variations plus libres sur les mélodies qu'ils interprétaient. Peu à peu, ils prirent conscience du support harmonique et des échelles mélodiques qui s'y rapportaient. En s'y aventurant, ils apprirent à se dégager du thème de départ, tout en respectant l'organisation du morceau. On voit souvent sur les pupitres des jazzmen les accords de la mélodie qu'ils interprètent, chiffrés sur une feuille quadrillée : c'est la «grille» d'accords. Chaque case de cette grille représente une mesure. Une fois le thème exposé, l'improvisateur peut ainsi s'aider de ce schéma pour suivre les harmonies qui sont répétées sur un tempo régulier par la rythmique, selon le canevas de départ.

Le jazz se constitua un répertoire d'airs connus et un ensemble de règles bien définies

Ce vocabulaire commun à tous permit le «bœuf», la «jam session», c'est-à-dire la rencontre impromptue de plusieurs musiciens. Au contact de

Ci-contre, le Casino Theatre de la 39e Rue à Broadway. A New York, l'industrie du spectacle y avait pignon sur rue. Elle tirait son répertoire du quartier de l'édition, Tin Pan Alley, «l'Allée de la casserole en étain». Le nom viendrait d'un quartier identique à Londres où chaque fois qu'un client potentiel voulait entendre une composition, les éditeurs voisins couvraient la musique en tapant sur des casseroles. C'est dans le Tin Pan Alley new-yorkais que George Gershwin fit ses débuts comme démonstrateur, en un temps où les compositeurs Jerome Kern et Irving Berlin y faisaient autorité.

La célèbre *Rhapsody in Blue* fut commandée à George Gershwin (ci-contre) par Paul Whiteman pour sa formation de jazz symphonique. Orchestrée par Ferde Grofé à partir d'une partie de piano et créée le 12 février 1924, elle ne fut retravaillée pour l'orchestre symphonique que plus tard. Mais c'est surtout par ses comédies musicales que George Gershwin contribua au répertoire du jazz. Outre l'incontournable *I Got Rhythm*, il fournit un grand nombre de standards : *The Man I Love, Oh Lady Be Good, Somebody Loves Me, Liza, Embraceable You, But Not for Me, Love Is Here to Stay...*

l'industrie du spectacle, s'il resta fidèle au blues, le répertoire oublia les airs populaires (ragtimes et negro spirituals) de ses débuts à La Nouvelle-Orléans. En revanche, il s'appropria les chansons de la comédie musicale américaine qu'il influença en retour.

A partir des années trente, ce sont les refrains, ou «chorus», de ces chansons, qui constituèrent le répertoire de base du jazz. On exposait sa mélodie, puis la rythmique énonçait à nouveau les harmonies du chorus sur lesquelles un soliste construisait son improvisation. Il pouvait alors prendre un ou plusieurs chorus avant de laisser la parole à un soliste. La reprise finale du thème pouvait être précédée d'un «quatre-quatre» : les différents solistes se succédaient alors toutes les quatre mesures, alternant souvent avec la batterie en solo.

Vocalion
SWING SERIES
MANUFACTURED IN ENGLAND
THIS COPYRIGHT RECORD MADE BY PATENTED PROCESS MAY NOT
BE SOLD BELOW FIXED PRICE NOR USED FOR PUBLIC PERFORMANCES
DID I REMEMBER?
(Adamson—Donaldson)
Billie Holiday and her Orchestra
(Vocal by Billie Holiday)
24-A
For full personnel see Vocalion Leaflet No. 9

On peut classer ce matériel thématique par familles selon la nature des canevas harmoniques, souvent en trente-deux mesures. Le plus répandu de ces canevas, *I Got Rhythm* (du nom d'une composition très jouée de George Gershwin), appartient lui-même à la famille des AABA : une première phrase A, de huit mesures, répétée deux fois, offre un paysage harmonique relativement statique que vient rompre une phrase B, appelée «bridge» (le pont), aux progressions harmoniques plus rapides qui amènent une reprise de la phrase A. Ces canevas, issus de la comédie musicale, servirent de modèle aux compositeurs de jazz et constituèrent un vocabulaire commun qui survit encore aujourd'hui. Les mélodies d'origine constituent elles-mêmes un répertoire de standards qui fait toujours autorité quoiqu'il ait été enrichi au fil des ans par les compositions des jazzmen. C'est peut-être ici que réside le vrai mystère du jazz : sa diversité repose sur un nombre limité de formules et de conventions; son évolution foudroyante en l'espace d'un siècle s'est faite dans le cadre d'une pratique traditionnelle de transmission orale; art de l'instant livré aux hasards de l'improvisation, il fut engendré par la routine et la maîtrise du cliché.

De fait, c'est dès l'exposé du thème que se

❞ Faisons quatre mesures d'introduction et un chorus, un autre chorus, un autre encore et la moitié d'un pour terminer; alors je disais : "Joue derrière moi, les huit premières mesures, Lester." [...] J'ajoutais : "Jo, joue avec les balais sur la caisse claire, et pas trop de cymbales.❞
Billie Holiday,
Lady Sings the Blues,
Parenthèses, 1984

manifeste le mystère du jazz. «Ce n'est pas une vraie chanteuse de jazz, elle ne scatte pas !» entend-on souvent déclarer, en référence à ces onomatopées qu'utilisent les vocalistes de jazz pour improviser à la façon des instruments (procédé que l'on nomme «scat»). C'est oublier que Billie Holiday, l'une des plus grandes chanteuses de jazz, ne scattait jamais. Elle ne fit rien d'autre que chanter des chansons. Son art résidait dans l'improvisation des climats et des timbres, dans le choix des accents et des silences, dans la mise en place des mots et des notes. Que l'on ne s'étonne pas de voir le jazzman, réputé improvisateur, déplier sur scène une partition. Il ne s'y trouve souvent qu'une pâle rengaine de music-hall et tout reste à faire : la réinventer, la redessiner, lire

❝ La moitié des gars n'auraient pas su lire les partitions. D'ailleurs, ils ne voulaient pas qu'on les embête avec ça. De temps en temps, l'un d'eux amenait un arrangement. Mais quand ils avaient fini de le regarder, d'imaginer qui prendrait les solos et de le transformer, eh bien, il n'était guère reconnaissable. ❞
Billie Holiday,
Lady Sings the Blues,
Parenthèses, 1984

Depuis *The Jazz Singer* (Le Chanteur de Jazz), le premier film parlant, le jazz et le cinéma entretiennent des rapports fréquents, mais souvent sous le signe de l'incompréhension. Dès les années trente, néanmoins, le septième art utilise la musique des Noirs sous des formes diverses : apparitions fugitives, participation à l'élaboration de la partition... Ci-contre, *Tales of Manhattan*, avec la chanteuse Ethel Waters. C'est elle qui crée *Stormy Weather* au Cotton Club, en 1933. Dans le film du même nom, dix ans plus tard, Andrew Stone mettra en scène Lena Horne, entourée de Cab Calloway, de Fats Waller et du danseur de claquettes Bill Robinson (pages suivantes). Otto Preminger, lui, fera appel à Sidney Poitier et Sammy Davis Jr pour incarner à l'écran deux rôles dans *Porgy and Bess*, tiré de l'opéra de George Gershwin (pages 70-71).

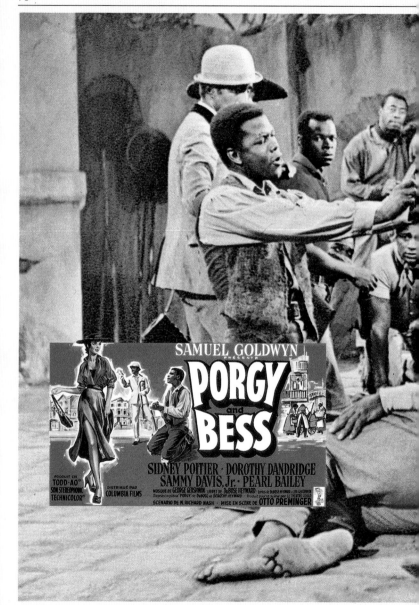

entre les notes et taire ses banalités, accidenter les platitudes de ses valeurs rythmiques et ranimer de la sorte les émois qu'elle suscita du temps où elle était en vogue. Devant ses idoles revisitant les standards mille fois rabâchés, l'amateur de jazz est toujours en attente d'un nouveau miracle. Le principal secret de ce miracle, c'est le swing.

Swing! mot intraduisible qui désigne le trait le plus tangible du jazz, et le plus discuté

En suivant l'évolution qui, des fanfares de La Nouvelle-Orléans aux orchestres des années vingt, vit le rythme à deux temps de la marche militaire faire place aux quatre temps plus tentants pour le pied du danseur, on comprend qu'à un moment donné le jazz ait pu faire venir à l'esprit l'image d'un balancement (en anglais «swing»). L'équilibre entre la basse ponctuant les temps forts (premier et troisième temps) et le banjo apparaissant en réponse sur les temps faibles (deuxième et quatrième temps) perdit de son allure cahotante au fur et à mesure que les instrumentistes gagnèrent en souplesse. Au cours des années vingt, la basse tendit à énoncer de façon égale tous les temps avec la grosse caisse et le banjo. Il en résulta une plus grande continuité dans le flux rythmique, cependant toujours rompu par les roulements de caisse claire hérités du tambour militaire, dont Baby Dodds fut le grand maître.

La rythmique ne cessa de s'assouplir jusqu'à l'avènement, au cours des années trente, de la formule «chabada» jouée à la baguette sur les cymbales ou aux balais sur la caisse claire (*da* sur

« Le jazz a introduit l'irrationnel dans l'élaboration du discours musical : le swing pourrait être qualifié de "rythme biologique", irruption du subjectif dans le découpage du temps, introduction de la petite parcelle de désordre vital par cette façon de jouer de l'imprécision pour mieux faire rebondir l'inexactitude» (Didier Levallet et Denis-Constant Martin, *L'Amérique de Mingus*, P.O.L., 1991). Ci-dessous, Cab Calloway dirigeant l'orchestre au Cotton Club, pour la nouvelle année.

les temps forts, *cha* sur les deux premiers tiers des temps faibles, *ba* sur le dernier tiers). Au cours des années vingt, les solistes eux-mêmes avaient abandonné le jeu sautillant des premiers jazzmen pour adopter un phrasé plus coulé. Accentué sur le temps faible que soulignait la cymbale charleston, l'ensemble du discours orchestral (solistes et accompagnateurs) semblait porté par une espèce de rebond. Le tempo, quoique strictement régulier, fut animé d'une vie intérieure et d'un élan qui lui enlevaient tout caractère mécanique. De fait, l'enchaînement des notes se faisait dans une troublante asymétrie. Alors que, normalement, le temps de la mesure à quatre temps se divise en deux parties égales et peut de ce fait accueillir deux croches de durées identiques, les croches jouées par les jazzmen se firent inégales, la première occupant deux tiers du temps et la seconde le dernier tiers. C'est ce découpage «ternaire» à l'intérieur même du temps, désigné comme l'invention et la propriété du jazz, que l'on appela le swing. Ce phénomène d'asymétrie du phrasé, le jazz n'en avait cependant pas l'exclusivité. On sait qu'il compte parmi les préoccupations des interprètes de la musique baroque sur instruments d'époque, et que bon

I t Don't Mean a
Thing If It Ain't
Got That Swing (Cela
ne veut rien dire s'il n'y
a pas ce swing) : le
célèbre titre de Duke
Ellington fut aussi le
manifeste de toute une
génération.

nombre de musiques traditionnelles à tempo régulier pratiquent cette élasticité pour garantir un élan supplémentaire à leurs danses.

La particularité du jazz fut d'associer ce phrasé ternaire au professionnalisme requis par l'industrie du spectacle dans les années trente, et à cette facilité rythmique virtuose pour laquelle le peuple noir semblait préparé par son histoire. Toujours est-il que l'on hésita à réduire la définition du swing à celle du phrasé ternaire. De fait, il y eut autant de manières de swinguer qu'il y eut de musiciens, la description d'un découpage du temps en «deux plus un» n'étant qu'une approximation. Les critiques et les historiens philosophèrent sur l'alternance de la détente (l'allongement de la première note du temps) et de la tension (la précipitation de la seconde) et comparèrent le swing aux pulsions du corps dans l'acte amoureux. Quel ne fut leur trouble lorsqu'ils constatèrent qu'à partir des années soixante, leurs comparaisons convenaient aussi aux musiques qui empruntaient les découpages binaires hérités du rock ou des musiques latines.

On pourrait plaider l'indicible, comme beaucoup déjà l'ont fait. Pour ne pas en rester là, on dira que, désignant ponctuellement un style attaché aux orchestres de danse des années trente et un engouement pour les musiques noires américaines qui s'étendit au monde entier de 1930 à l'après-guerre, le mot swing désigne plus largement ce sens de la pulsation – déjà présent chez les premiers bluesmen, et que les musiciens noirs américains introduisirent dans la musique occidentale – cet art de la mise en place et du sous-entendu qui permet aux jazzmen de flotter au-dessus des valeurs écrites sans jamais se perdre; cette faculté de faire vivre la battue d'un tempo sans altérer sa régularité, de le rendre même d'autant plus léger, stimulant et efficace qu'il est inexorable.

C i-dessus, partition du célèbre indicatif de l'orchestre de Duke Ellington, *Take The "A" Train*, du nom d'une ligne du métro new-yorkais desservant le quartier de Harlem. Jusqu'à la Seconde Guerre mondiale, le jazz reste intimement lié à la danse (ci-contre). Les lieux où se produisent les grandes formations possèdent la plupart du temps une piste, comme celle du Savoy où, raconte Russell Procope, «beaucoup de gens n'allaient que pour danser, et ne s'intéressaient pas beaucoup à ce que faisait l'orchestre».

L'Amérique meurtrie par la crise économique cherche à se divertir. Elle acclame le swing et ses grands orchestres de danse. La ségrégation aidant, les musiciens blancs triomphent. Grandes et petites formations, arrangeurs et instrumentistes sont à l'œuvre, jour et nuit. Les musiciens noirs s'en sortent comme ils peuvent, en restant les meilleurs. Ils inventent un classicisme et préparent déjà l'avenir.

CHAPITRE IV
SWING !

A gauche, «The Singing Kid» (Cab Calloway), et, à droite, «The King of Jazz» (Benny Goodman).

Sérieusement touché par le krach de 1929,
le monde du spectacle fut cependant l'un des
premiers secteurs à se ressaisir. Les
Américains qui avaient su éviter la ruine
aspiraient au divertissement. On voulait
du grandiose pour rétablir l'image d'une
Amérique infaillible, de l'exotique pour
rêver, du rythme pour se perdre dans
l'ivresse de la danse. Victimes du
chômage et de la baisse des cachets,
bon nombre de jazzmen avaient vu leur
carrière brisée au début des années trente,
mais la jeune génération fut abondamment
sollicitée : la joyeuse sensualité et l'élégance
effrontée de ce que l'on commençait à appeler le
swing avaient envahi les dancings et les revues
musicales. Déjà exotique aux yeux du public blanc,
le jazz était devenu, par la science des arrangeurs,
capable d'absorber tous les emprunts et de susciter
tous les dépaysements, comme en témoigne le style
«jungle» de Duke Ellington; enfin, ayant élargi leurs
sections, les orchestres avaient désormais le pouvoir
de s'imposer dans les plus grandes salles. Ils furent au
cœur d'une vogue qui dura près d'une décennie bien
au-delà des frontières américaines : l'ère du swing.

L' orchestre de
Tommy Dorsey
(ci-dessous), l'une des
meilleures formations
blanches de l'époque. Il
compta à son service
des musiciens comme
Bunny Berigan, Bud
Freeman, Sy Oliver,
Charlie Shavers, mais
aussi le jeune Frank
Sinatra qui fit ses
débuts au sein de cette
formation de 1940
à 1942. Surnommé le
«sentimental
gentleman of the
trombone», Tommy
Dorsey compte
également dans
l'histoire de cet
instrument. Quant à
son frère aîné, le
saxophoniste alto
Jimmy Dorsey, avec qui
Tommy fit ses débuts
dans les années vingt, il
suscita l'admiration
profonde de Charlie
Parker.

Avantagés par la ségrégation, les musiciens blancs profitèrent avant les Noirs de l'engouement du public pour le swing

Benny Goodman, qui triompha dans tous les Etats-Unis à partir de 1935, se vit disputer sa couronne de «King of Swing» par une multitude d'orchestres blancs tels ceux de Tommy Dorsey, Artie Shaw et Glenn Miller. Formé très tôt à l'écoute des musiciens de La Nouvelle-Orléans, mûri dans le voisinage des Chicagoans, Benny Goodman était un clarinettiste virtuose capable d'enflammer son auditoire sans jamais se défaire d'une certaine préciosité. Il devait cependant bon nombre des arrangements qui faisaient son succès à des artistes noirs moins connus tels que Fletcher Henderson.

C'est souvent dans les places fortes du gangstérisme que les musiciens noirs purent résister

La revue du Cotton Club (ci-dessus), en 1934, où un public blanc venait admirer danseurs et danseuses noirs, et les orchestres de Duke Ellington, puis Cab Calloway, Jimmie Lunceford...

" Il était non seulement indispensable de savoir jouer, mais aussi d'amuser le public. Le dernier spectacle commençait à deux heures et la boîte (le Cotton Club) fermait à trois heures et demie ou à quatre heures. Alors, tout le monde se rendait à côté, chez Harry Roane ou au petit déjeuner dansant du Small's Paradise, où le spectacle débutait à six heures du matin. C'est difficile à imaginer maintenant : des musiciens sortant d'un petit déjeuner dansant à huit ou neuf heures du matin en smoking, et les girls du spectacle en robe du soir.**"**

Stanley Dance,
Duke Ellington par lui-même et ses musiciens,
Filipacchi, 1976

❝ Chick (Webb) a attaqué avec agressivité tandis que le Count (Basie) avait une attitude plus détendue et musicalement plus scientifique. Sans se laisser démonter par l'implacable «drumming» de Chick, qui arrachait à l'auditoire des cris d'encouragements, le Count a conservé son sang-froid. Il parait constamment les terribles crochets de Chick et ripostait par des traits et des arpèges provocants qui poussaient son adversaire à déployer encore plus sa force. ❞

Compte rendu de presse du tournoi du 16 janvier 1938 au Savoy

à la crise économique. La prohibition, qui vivait alors ses dernières années, faisait le bonheur d'une certaine bourgeoisie blanche venue s'encanailler au contact de la contrebande et de la musique noire. Haut lieu de Harlem où les clubs se multipliaient, le Cotton Club proposait à un public exclusivement blanc des boissons prohibées et des spectacles de danse et de musique noire conçus sur le modèle des grandes revues de Broadway. De même à Kansas City, où le maire Tom Pendergast avait favorisé l'épanouissement de la pègre et l'ouverture de nombreux établissements, aux activités plus ou moins licites, fournissant du travail à de nombreux musiciens de couleur.

Pour le musicien noir, faire du jazz était une manière de s'en sortir

Seuls les amateurs et les critiques semblaient saisir l'importance qu'était en train de prendre le jazz dans l'histoire de la musique. Le Noir qui avait appris à chanter dans la chorale de l'église, à jouer d'un instrument dans la fanfare de l'école, à se battre dans la rue, n'avait guère que trois solutions s'il voulait faire fortune : la musique, la boxe ou la combine. Celui qui choisissait la musique faisait du jazz sans se poser plus de questions. Le jazz, pourtant en permanente évolution, semblait étranger à toute

notion d'avant-garde. Plus que jamais, nécessité fut mère de l'invention. Le souci de la concurrence, de la performance et du succès semble avoir été le principal moteur de l'avancée du jazz.

La vie quotidienne du jazzman pouvait alors commencer l'après-midi au cinéma, où il accompagnait les films muets, et continuer dans un dancing, un club ou un restaurant. «After hours» (après ses heures de travail), le musicien courait les boîtes pour affronter les concurrents, et certains finissaient même leur nuit en animant les petits déjeuners des grands hôtels. Les formations jouaient tous les jours, sur place ou en tournée. Chacune d'elles (et même chaque section instrumentale à l'intérieur de la formation) peaufinait soir après soir une facture orchestrale qui n'appartenait qu'à elle. L'orchestre de Chick Webb ne sonnait pas comme celui d'Andy Kirk qui ne sonnait pas comme celui des Savoy Sultans. Trois formations semblaient cependant dominer toutes les autres : c'étaient celles de Count Basie, Jimmie Lunceford et Duke Ellington.

En 1927, un câble radio permit de diffuser d'une côte à l'autre le programme du Cotton Club. Sonny Greer, le batteur d'Ellington, raconte : «Il y a eu de nombreuses scènes de ménage à ce sujet, parce que les femmes refusaient de préparer le dîner avant la fin de l'émission.» Ci-contre, l'orchestre du batteur Chick Webb qui avait pour vedette la jeune Ella Fitzgerald.

Né dans la ville du riff et de la jam, l'art de Count Basie personnifia longtemps le swing et le jazz dans son entier

A Kansas City, les lieux de plaisir étaient en nombre. On trouvait alors de nombreux endroits ouverts fort tard dans la nuit où les musiciens locaux, ou de passage, se provoquaient les uns les autres au cours de fabuleuses jam sessions, véritables combats singuliers informels où chacun s'efforçait de faire la preuve de sa supériorité. La musique de jazz que l'on pratiquait dans cette ville extrêmement vivante, dès les années vingt, marquait un attachement profond aux racines du blues. Ceci favorisa dès lors un goût immodéré pour des formules répétitives appelées «riffs». Ces cellules mélodiques obstinées, mises en place en un tempo immuable et souple à la fois, dégageaient un irrésistible swing. Bennie Moten et sa formation illustraient cela mieux que quiconque. En 1935, à la mort de Moten, celui-ci fut remplacé à la tête de son ensemble par un pianiste dont le nom marqua à jamais l'histoire du jazz : William «Count» Basie. La formidable économie de moyens de son style pianistique (un accord, une note le rendaient identifiable); la sûreté de sa section rythmique (constituée dès 1937 du guitariste Freddie Green, aux côtés de Walter Page à

** Les jams du Reno commençaient à cinq heures du matin après le dernier spectacle. Les musiciens de Basie (ci-dessus) faisaient alors une longue pause, ayant joué presque sans interruption depuis neuf heures le soir. Ils allaient manger un morceau et boire à la buvette dans la cour, ou au bar, avant de remonter sur le podium. Jessie Price vérifiait la disposition de son matériel, et avec Walter Page lançait un tempo medium, sur lequel Basie brodait, jusqu'à ce que Sam Price ou Mary Lou Williams des Clouds of Joy viennent le remplacer. Puis, arrivaient les saxophonistes d'autres clubs ou orchestres de passage, et l'estrade du Reno grouillait de musiciens impatients de prendre quelques chorus. **

Ross Russell, *Bird, la vie de Charlie Parker*, Filipacchi, 1980

la contrebasse et Jo Jones à la batterie) qui marquait, imperturbable, les quatre temps de la mesure d'une manière égale; la qualité des solistes présents durant cette première période d'activité : Buck Clayton, Harry Edison à la trompette, Dicky Wells au trombone, Chu Berry, Lester Young aux anches, entre autres; l'intensité de son répertoire, où le blues domine très largement; l'évidente simplicité des arrangements, d'autant plus efficaces; tout cela conjugué fit de l'orchestre de Count Basie le meilleur ensemble dans ce style.

S'il connut des hauts et des bas, notamment pour des raisons économiques, le Count Basie Big Band eut une seconde heure de gloire : durant les années cinquante, avec les arrangeurs Thad Jones, Frank Foster, Quincy Jones et Neal Hefti. Artisans du «phrasé de masse» qui va dès lors apparaître comme la signature esthétique de l'orchestre, ils apportèrent un vrai regain de jouvence.

En janvier 1934, à Harlem, le Cotton Club fit succéder à l'ensemble de Cab Calloway celui d'un

●● En bavardant avec quelqu'un, j'ai dit à quel point j'aimais cet orchestre et combien j'aimerais y jouer. Le type m'a dit : "Qu'est-ce que tu racontes? Bennie Moten tient lui-même le piano." Ce qui était vrai. Bennie était même un sacré pianiste! Mais j'ai commencé à me demander comment je pourrais conspirer pour entrer dans l'orchestre.●●

Albert Murray,
Good Morning Blues,
Count Basie,
Filipacchi, 1985

S onny Greer parle ainsi du Cotton Club : «Le public était très mélangé – des gens du spectacle, des gens du monde, des starlettes, des musiciens et des gangsters. C'était encore l'époque de la prohibition, bien sûr, et personne ne pouvait boire une goutte d'alcool sans ma permission. Nous avions un système très au point. Les nouveaux venus étaient soigneusement filtrés.» A gauche, le corps de Giuseppe Massari, dit Joe the Boss, assassiné pendant qu'il jouait aux cartes. A droite, destruction de barils de bière. Ci-dessous, Chicago.

jeune saxophoniste qui arrivait de Buffalo, Jimmie Lunceford. Celui-ci, flanqué du trompettiste et arrangeur Sy Oliver, proclamait bientôt la suprématie du «bounce» (rebond), ce tempo médium propice à la danse, où la contrebasse marquait le «deux-temps» tandis que l'orchestre jouait sur quatre.

Les titres des thèmes parlaient d'eux-mêmes : *Rhythm Is Our Business, For Dancers Only* constituèrent d'ardentes professions de foi pour cet orchestre qui comprenait alors d'excellents solistes comme l'altiste Willie Smith. Mais en 1939, Sy Oliver quitta la formation, et la mobilisation fit le reste. Lorsque Lunceford disparut en 1947, les ensembles de Count Basie et Duke Ellington se retrouvèrent sans rival d'envergure.

Un demi-siècle durant, l'orchestre de Duke Ellington constitua le plus bel écrin possible pour le plus grand compositeur de jazz

Le jeune Edward Kennedy «Duke» Ellington, formé à l'école des pianistes stride de Harlem, avait-il en tête le formidable laboratoire orchestral qu'il conserva jusqu'à sa mort, lorsqu'il réunit autour de lui, dès 1923, quelques amis sous

À gauche, en bas, Cab Calloway en 1929, au Cotton Club. Du jour au lendemain, il y remplaça Duke Ellington engagé par ailleurs. Une idée d'Irving Mills, leur agent commun, qui enchanta le public. Celui-ci fut en effet saisi par le talent excentrique de ce chanteur pas comme les autres. Inventeur du «hi-de-ho», un style vocal particulièrement efficace sur le plan scénique, Calloway triomphe au Cotton Club dans les années trente, notamment grâce à la chanson *Minnie the Moocher*, qui connaît un succès exceptionnel. Son habileté dans l'utilisation comique et musicale des onomatopées préfigure bien des extravagances du futur be-bop. Certains des musiciens de la génération suivante, comme Dizzy Gillespie, débutèrent d'ailleurs au sein de son orchestre. Sur le plan anecdotique, il est aussi, avec son «zah zuh zah» le précurseur de la mode «zazou» en vogue dans les années quarante, en France.

cab

calloway

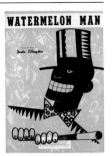

WATERMELON MAN

C i-dessus, partition du *Watermelon Man*, de Duke Ellington, 1938. Ellington lui-même (ci-contre, en haut, dans sa loge) était loin de mépriser l'importance de la danse. «Il fut un temps où j'étais bon danseur, raconte-t-il. Je pense qu'il est très important qu'un musicien sache danser […]. La danse est très importante pour ceux qui interprètent de la musique qui a du «beat». Selon moi, les gens qui ne dansent pas, ou qui n'ont jamais dansé, ne peuvent pas vraiment comprendre le beat. Ce qu'ils ont en tête, c'est quelque chose de mécanique et d'un peu académique. Je connais des musiciens qui n'ont jamais dansé, et ils ont du mal à communiquer […]. C'est chouette de jouer pour des gens qui savent vraiment se remuer et swinguer» (Stanley Dance, *Duke Ellington*). Ci-contre, en bas, Duke Ellington à l'affiche du Majestic Theatre, à Dallas, Texas, en 1933.

DUKE ELLINGTON AND HIS COTTON CLUB ORCHEST'

L'engagement de l'orchestre de Duke au Cotton Club ne plut guère au batteur Sonny Greer. «Quand le Cotton Club a ouvert ses portes dans le quartier nord, le premier orchestre à s'y produire s'appelait les Missourians. [...] Notre orchestre avait une telle renommée au Kentucky Club qu'on nous a obligés à prendre leur suite. C'est une des rares fois où j'ai eu envie de quitter l'orchestre. [...] Nous avons aussi été forcés d'élargir l'orchestre, et ça m'a fendu le cœur : jusque-là, tout avait été si intime et de si bon goût. Nous n'avions pas d'arrangements écrits. Nous nous contentions de discuter ensemble en faisant des suggestions quant à l'exécution. Aujourd'hui toujours, Ellington accueille les suggestions. Rien que grâce à sa façon d'harmoniser les sons de l'orchestre, à six ou sept, nous avions l'air d'être douze» (Stanley Dance, *op. cit.*).

le nom des Washingtonians ? Un an plus tard en tout cas, notamment grâce à des solistes comme le trompettiste Bubber Miley, l'ensemble d'Ellington, élargi, posait les bases des conceptions avant-gardistes de son chef. Engagé en 1927 au Cotton Club, où il se produisit cinq années durant très régulièrement, le big band du Duke y donnait ses premiers chefs-d'œuvre : *Black and Tan Fantasy, East Saint Louis Toodle-Oo*. S'y déployait déjà ce qui allait constituer les marques de fabrique du génie ellingtonien : une ingéniosité rare dans le mariage des timbres, l'alliage de couleurs sonores inédites (son emploi éblouissant des sourdines) et l'écriture instrumentale en fonction des interprètes. Ainsi nommé autant en raison des costumes des danseurs que pour les orchestrations suggestives où Ellington utilisait avec virtuosité son art des combinaisons instrumentales, le style «jungle» s'épanouissait alors en d'autres thèmes tout aussi fameux : *Creole Love Call* et *Black Beauty* (1928), *The Mooche* (1929), *Mood Indigo* (1931). Bientôt la réputation de l'orchestre et de ses solistes (Barney Bigard à la clarinette, Johnny Hodges à l'alto, Harry Carney au saxophone baryton, Cootie Williams à la trompette, Lawrence Brown au trombone) dépassa l'Amérique, et c'est en triomphateur que le Duke vint en tournée en Europe dès 1933. En 1937, *Caravan* préfigurait le «latin jazz» et semblait boucler symboliquement la période jungle de l'ensemble.

Deux ans plus tard, le début d'une fructueuse collaboration avec son alter ego Billy Strayhorn poussait une fois encore le Duke au renouvellement. L'arrivée dans l'orchestre de solistes de l'importance du contrebassiste Jimmy Blanton et du saxophoniste

Ci-dessous, l'orchestre d'Ellington en 1942. L'art du Duke connaît alors une période faste : films et enregistrements témoignent du rajeunissement du répertoire.

Ben Webster précipita l'émergence d'un deuxième apogée, symbolisé par les enregistrements historiques de *Concerto for Cootie, Ko-Ko, Cotton Tail* et *Warm Valley*. En 1943, Carnegie Hall, le temple de la musique classique à New York, accueillait la création de la première «suite» d'Ellington, *Black, Brown and Beige*, d'une durée jusque-là inhabituelle dans le monde du jazz : quarante-huit minutes.

Plus tard, le Duke reprit souvent le principe de la suite, y développant ses conceptions futuristes, empreintes d'une égale fantaisie, et souvent inspirées par des impressions de voyage. Il prit aussi le temps de se produire en tant que pianiste, et s'adonna même à la composition de «concerts sacrés» qui furent longtemps mésestimés. Mais son outil de prédilection restait pour toujours le big band, et l'arrivée, au début des années cinquante, de solistes plus jeunes marqués par le be-bop, tels que le trompettiste Clark Terry et le saxophoniste Paul Gonsalves, contribua largement à maintenir l'orchestre au plus haut niveau jusqu'à la mort de son fondateur, en 1974.

A l'écoute d'Ellington, on réalise le chemin parcouru par le jazz depuis le premier grand classique, Louis Armstrong (ci-dessus). Ce dernier reste cependant la référence numéro un pour les jazzmen. Ainsi, le plus moderne des héritiers d'Ellington, Gil Evans, déclare : «Tout ce que j'ai appris, c'est d'Armstrong que je le tiens. Armstrong a été mon prof. C'est le musicien que j'ai le plus écouté» (Laurent Cugny, *Las Vegas Tango, une vie de Gil Evans*, P.O.L., 1989).

Les big bands des années trente révélèrent les grands solistes qui rompirent avec les archaïsmes de La Nouvelle-Orléans

La technique se fit virtuose pour répondre à l'exécution des nouveaux arrangements, et faire face à la rivalité qui s'exerçait au sein des sections ou lors des jam sessions. Les improvisations s'éloignèrent de la simple variation mélodique et s'engagèrent dans des développements toujours plus aventureux. Porté par le swing des nouvelles rythmiques, le phrasé se fit plus souple et capable d'audaces toujours plus grandes.

L'histoire de la trompette des années vingt aux années trente est à cet égard significative. Premier grand soliste de l'histoire du jazz, Louis Armstrong n'en appartient pas moins à ce que l'on appelle le «vieux style». Tout y est d'une grande clarté, d'une grande lisibilité : l'énoncé de chaque note bien détachée de celles qui l'entourent, son rapport à l'accord qui la supporte,

sa mise en place rythmique (même si l'ambiguïté ternaire du swing est déjà présente), la façon dont le découpage des phrases correspond à la structure du morceau. Si Bix Beiderbecke se fit plus audacieux dans ses idées harmoniques, ce ne fut qu'avec Henry «Red» Allen, pourtant originaire de La Nouvelle-Orléans et disciple de Louis Armstrong, que le jazz passa d'une logique de la note à une logique de la phrase, qui n'a cessé d'affirmer sa prépondérance jusqu'à nos jours.

Armstrong, même s'il n'apparaît plus comme un novateur, suscite l'admiration des trompettistes de la génération suivante, Red Allen en tête. Mais le personnage, homme de scène accompli, inspire aussi les écrivains, les peintres et les dessinateurs de tous styles.

C i-dessus, le trompettiste Roy «Little Jazz» Eldridge, maillon obligé de l'histoire de l'instrument. Ci-contre, le saxophoniste ténor Coleman Hawkins, surnommé «Bean» (haricot) ou «Hawk» (oiseau de proie), un des premiers grands vendeurs de disques de l'histoire du jazz, avec sa version du thème *Body and Soul* (1939).

Chez Louis Armstrong, on pourrait presque apprécier chaque note isolément, pour sa sonorité, sa puissance, sa valeur; chez Henry «Red» Allen, il est difficile d'apprécier la sonorité ou la valeur d'une note sans replacer celle-ci dans le mouvement d'ensemble de la phrase, chaque note étant liée à l'autre.

Certaines notes, suggérées, n'ont qu'un rôle de liaison et leur mise en place peut même défier l'analyse rythmique. La virtuosité du musicien se porte en effet plus sur le débit; le discours est moins fragmenté en fonction des différents segments harmoniques. L'allure mélodique de la phrase se fait plus abstraite et les valeurs rythmiques se diversifient. La césure qui existe entre le vieux style et le be-bop disparaît avec Henry «Red» Allen, et l'on comprend mieux la communauté d'esprit qui put réunir sur la même scène bopers et musiciens des années trente alors qu'une telle rencontre avec des musiciens du vieux style paraît moins concevable.

Le jeu fluide des saxophonistes fit école

A leur écoute, les trompettistes développèrent une virtuosité sans précédent. Parmi ceux qui assurèrent la transition vers le be-bop, Roy Eldridge fit figure de chef de file et ne cacha pas son intérêt pour le jeu de ses confrères saxophonistes. Alors que Charlie Shavers visait la précision et l'efficacité de l'effet, alors que Harry «Sweets» Edison privilégiait la concision et la délicatesse du son, c'est l'impatience qui primait chez Roy Eldridge; une manière impulsive et aventureuse de s'engager dans l'improvisation qui fit de lui le prédécesseur de Dizzy Gillespie.

Le trombone suivit cette évolution, de manière moins spectaculaire et cependant tout à fait sensible : des effets de coulisse de Kid Ory, hérités du style tailgate, aux facilités annonciatrices du bop chez Trummy Young, en passant par l'avancée sur les traces d'Armstrong d'un Jimmy Harrison, le contrôle d'un Jack Teagarden et la fougue d'un J.-C. Higginbotham.

Alors que la clarinette se faisait de plus en plus discrète, bien que toujours magnifiquement servie par Barney Bigard chez Duke Ellington, le saxophone alto connut de nombreux interprètes. Parmi eux se dégagèrent les personnalités de Johnny Hodges, héritier romantique de la sonorité chaude et vibrante de Sidney Bechet; Benny Carter au lyrisme plus limpide; Willie Smith, puissant expressionniste de l'instrument.

Mais c'est du côté des saxophones ténors que tous les yeux se tournent lorsque l'on évoque l'évolution des instruments à vent dans le jazz des années trente. En effet, deux chefs de file semblent avoir défriché les deux voies possibles, non seulement pour l'instrument, mais aussi pour tout le jazz. A Coleman Hawkins la virilité insolente affichée jusque dans le port du chapeau sur scène, l'impatience de quitter le thème et d'explorer les possibilités offertes par

L ester Young (ci-dessus) et Johnny Hodges (ci-dessous). «L'influence de Lester a été parmi les plus fortes. Charlie Parker a eu beaucoup d'imitateurs. Johnny Hodges aussi. Mais nous ne devons pas oublier le plus grand : Bechet!» (Stanley Dance, *op. cit.*).

l'harmonie, la sonorité rugueuse au vibrato rapide et tendu, les rageurs effets de gorge, la hargne du phrasé. A Lester Young l'attitude scénique alanguie, le plaisir d'exposer les thèmes en se référant aux paroles de la chanson originale et d'improviser selon une logique avant tout mélodique, la sonorité lisse, voilée et sans vibrato, la nonchalance du phrasé et la tranquillité du débit. Largement influencé par le saxophoniste chicagoan Frankie Trumbauer, Lester Young fut le père spirituel du jazz «cool» qui apparut vers la fin des années quarante. Il n'en a pas moins marqué l'ensemble du jazz par l'indépendance de son jeu, tant sur le plan harmonique que rythmique.

Dès 1928, un jeune pianiste faisait entendre sa voix au sein du concert alors dominé par l'école stride : Earl Hines, révélé chez Armstrong, fut le premier grand soliste du clavier. Il transposait à la main droite le style mélodique que son maître avait développé à la trompette, en un «trumpet piano style» qu'il enrichissait d'une invention rythmique débordante. Mais il fallut attendre Art Tatum, virtuose exceptionnel, pour voir apparaître un styliste capable d'influencer les musiciens qui l'entendirent alors,

❝ Je ne sais pas pourquoi je me suis assis à ce piano.[...] Il n'embêtait personne ce piano! J'ignore ce qui m'a poussé, mais je suis allé l'embêter, moi. Pourquoi ai-je fait une chose pareille? Parce que quelqu'un est sorti chercher Art (Art Tatum, ci-contre). Ce bar était son quartier général! Oh mon Dieu! Ils ont ramené Art, et je le revois encore, avec cette façon qu'il avait de marcher du bout des pieds. "J'aurais pu te prévenir", me dit une des filles du bar. Pourquoi ne l'as-tu pas fait, baby? lui ai-je demandé. Pourquoi ne l'as-tu pas fait? ❞
Albert Murray,
Good Morning Blues,
Count Basie,
Filipacchi, 1988

bien au-delà de la sphère de ses confrères pianistes, au-delà même de celle des musiciens de jazz. Parallèlement, un autre grand du clavier, Teddy Wilson, développait un art consommé du phrasé, certes moins volubile que chez Tatum, qui devait inspirer par sa rigueur bien des solistes de l'ère moderne.

En petites formations, les solistes grandis à l'école des big bands trouvèrent l'espace nécessaire à leur essor

Ces «combos» furent souvent des sous-ensembles des grandes formations et Duke Ellington aimait laisser à ses musiciens l'initiative de se réunir sous le nom de l'un d'entre eux pour renouveler l'art ellingtonien. Benny Goodman doubla très tôt sa grande formation d'un trio, devenu par la suite un quartette (Lionel Hampton, Teddy Wilson, Gene Krupa) dont le caractère multiracial fit sensation, avant même que

Le spectaculaire batteur Gene Krupa (ci-dessous), en compagnie du clarinettiste Benny Goodman, avec qui il se produisait entre 1935 et 1938. Avec Krupa, et juste avant l'apparition de Kenny Clarke sur la scène du jazz, la batterie s'émancipe déjà : elle devient un instrument à part entière, apte à prendre des solos.

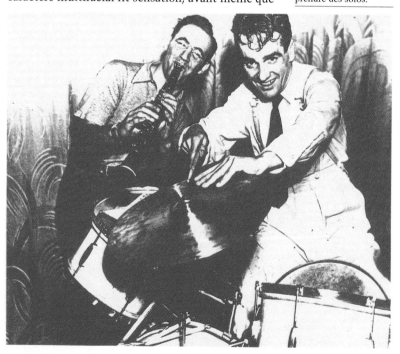

ne soient révélées les grandes qualités musicales de l'orchestre. Par la suite, il se fit reconnaître à la tête d'un sextette, comprenant le premier grand soliste de la guitare électrique, Charlie Christian.

Avant de monter sa grande formation qui devança en efficacité et en puissance les premiers orchestres de rock'n'roll, Lionel Hampton fut à l'initiative, dans les studios de la compagnie Victor, de nombreuses séances en petites formations qui réunissaient de manière informelle ce que la scène du jazz pouvait compter de meilleur : des trompettistes – Cootie Williams, Harry James –; des saxophonistes – Chu Berry, Ben Webster –; des batteurs – Cozy Cole, Sidney Catlett... Dans un contexte échappant à l'industrie du spectacle, s'y exprimait la quintessence d'un art du swing qui ne tendait qu'à basculer vers de nouveaux développements esthétiques; et ce n'est pas un hasard si un tout jeune trompettiste du nom de Dizzy Gillespie participa à la plus brillante de ces séances, le 11 septembre 1939.

On oublie souvent de mentionner l'un des plus populaires combos de l'époque, celui du contrebassiste John Kirby. Surnommé «le plus grand petit orchestre du pays», ce sextette, constitué de virtuoses accomplis, se fit connaître par ses interprétations pleines de fantaisie de thèmes connus de la musique classique. Mais il convient surtout de prêter attention à la composition signée par le pianiste de l'orchestre, Billy Kyle : *From A Flat to C* (de *la bémol* à *do*). En 1938, alors que le jazz n'est encore considéré que comme un art de divertissement, un jazzman signe un véritable manifeste harmonique qu'il titre comme tel. Sur la structure classique de *I Got Rhythm*, les quatre premières mesures nous font passer par huit modulations successives. Si les improvisations qui suivent empruntent des harmonies plus classiques, l'exposé du thème ouvre la voie aux futures instabilités harmoniques du be-bop.

John Kirby, avant de créer le sextette qui portait son nom, en 1937, s'était formé à bonne école : celle des orchestres de Fletcher Henderson, Chick Webb et Lucky Millinder. Après la dissolution de sa formation et jusqu'à sa mort prématurée en 1952 (à l'âge de quarante-trois ans), il joua aux côtés de Red Allen, Buck Clayton et Benny Carter.

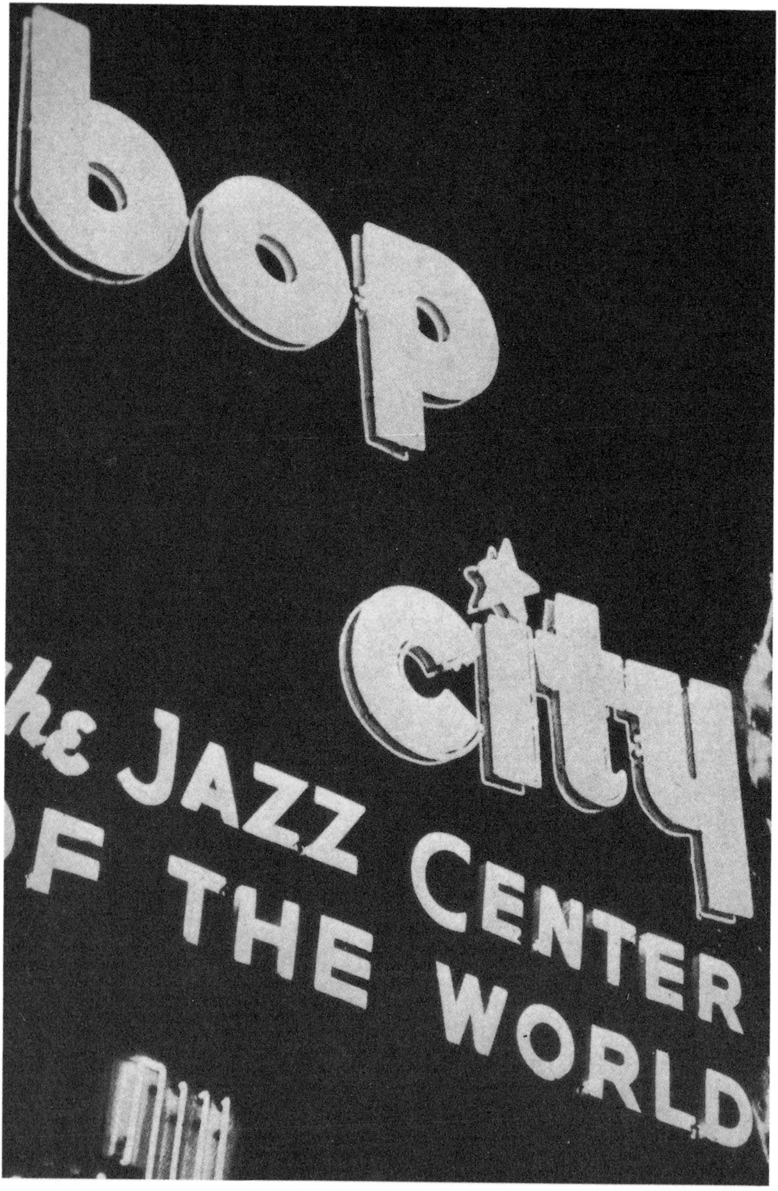
bop
city
the JAZZ CENTER
OF THE WORLD

En marge du malaise de la société américaine sur le plan racial, les jeunes musiciens noirs s'interrogent. Quittant leur emploi alimentaire dans les grands orchestres, ils se réunissent tard dans la nuit en petites formations pour inventer de nouvelles règles. Rompant définitivement avec le monde du divertissement, ils se constituent en avant-garde et ouvrent une nouvelle voie: celle du jazz moderne.

CHAPITRE V
BE-BOP!

" Chaque fois qu'un flic frappe un Noir avec sa matraque, ce sacré bâton dit : "Bop bop... be bop!" "
Jess B. Simple,
in *Les Cahiers du Jazz*

Au début des années quarante, le swing triomphait dans le monde entier. Un musicien blanc, Benny Goodman, en portait la couronne et Billie Holiday venait d'abandonner le grand orchestre du clarinettiste blanc Artie Shaw, écœurée par les vexations raciales rencontrées en tournée. Confisqué par le show business à des seules fins de divertissement, le jazz risquait de sombrer dans la routine. Alors qu'en 1943, de violentes émeutes éclataient dans les ghettos noirs des grandes villes des Etats-Unis et portaient sur le devant de l'actualité le profond malaise de la société américaine en matière raciale, de jeunes musiciens noirs avaient déjà commencé à transposer dans le jazz les changements de mentalité de la communauté noire. La musique qu'ils créèrent, fut appelée du nom mystérieux de «be-bop» parfois «re-bop» ou tout simplement «bop», probablement d'après une onomatopée utilisée pour scatter dans le nouveau style.

« J'ai rencontré Charlie Parker en 1937, dans une jam de Kansas City, raconte Jay McShann. Il ne vivait que pour ça et avait déjà une sonorité pas croyable. Il partait soudain comme ça dans une idée qui faisait peur, mais il retombait sur ses pieds. » Ci-dessous, l'orchestre de Jay McShann. Le saxophoniste du milieu est Charlie Parker.

Le Minton's. «Tous les lundis, on mangeait à l'œil. Le lundi, c'est le jour de relâche pour les musiciens et Teddy avait pensé que s'il y avait une boîte ouverte où ils pourraient manger gratuitement, ils viendraient aussi jouer gratuitement. Et c'est pourquoi nous tenions table ouverte le lundi. Après le dîner, les musiciens s'approchaient du bar pour boire, tout en continuant à écouter la musique. Et c'est là que Teddy les attendait» (Kenny Clarke, interview pour *Jazz Hot*, 1963). Ci-contre, Thelonious Monk, Howard McGhee, Roy Eldridge et Teddy Hill, le gérant du Minton's.

La révolution du be-bop se fit à New York, «after hours» dans certains clubs de la 52e Rue

Après le travail alimentaire de la soirée, les musiciens se retrouvaient pour les jam sessions qui se poursuivaient la nuit durant dans les clubs. Au Minton's Playhouse une rythmique d'un genre nouveau avait été engagée en 1941 pour animer les joutes musicales qui s'y perpétraient. Les manières fort peu habituelles du pianiste Thelonious Monk et du batteur Kenny Clarke attirèrent chez Minton une foule de jeunes musiciens en quête d'un langage nouveau. Le guitariste Charlie Christian y installa un amplificateur à demeure (il mourut trop jeune pour connaître l'avènement du be-bop auquel il avait œuvré). Le trompettiste Dizzy Gillespie y fit des visites de plus en plus fréquentes. Lorsqu'au Monroe's Uptown House se produisit un jeune

saxophoniste alto, Charlie Parker, qui avait déjà fait sensation au sein de l'orchestre de Jay McShann à Kansas City, Monk et Clarke allèrent l'entendre et le ramenèrent au Minton's.

Découragés par de nouvelles règles du jeu qui les dépassaient, les musiciens swing furent bientôt exclus des lieux. La nouvelle génération s'était constituée en véritable élite et multipliait les bizarreries sur les tempos les plus enlevés pour tenir éloignés les indésirables de leurs jam sessions expérimentales. Ces jeunes contestataires, qui avaient fait leurs classes dans les grandes formations, commencèrent à y afficher plus ou moins ouvertement leur point de vue (chez Cootie Williams ou Earl Hines), avant que Billy Eckstine ne leur ouvre toutes grandes les portes de son big band. La grève des enregistrements, qui perturba la première moitié des années quarante, ne nous a laissé qu'une petite quantité de bandes artisanales, insuffisantes pour nous faire une idée exacte de ce fabuleux tournant pris par la musique noire américaine. Un fait reste certain : lorsque, le 26 novembre 1945, le quintette de Charlie Parker entra en studio pour la maison Savoy, le be-bop n'en était plus à ses premiers balbutiements et, depuis déjà des mois, le tandem Parker/Gillespie, bien que très controversé, faisait du Three Deuces le plus couru des nombreux clubs de la 52e Rue.

« A ma sortie du Three Deuces, je remonte jusqu'à l'Onyx Club où je tombe sur Coleman Hawkins. Je me présente, lui explique que je suis à New York pour étudier à la Juilliard, mais que je cherche surtout à retrouver Bird. Il me dit que le meilleur endroit pour trouver Bird, c'est à Harlem, au Minton's ou au Small's Paradise. "Il adore y jammer", dit-il en ajoutant : "Le meilleur conseil que je puisse te donner, c'est de finir tes études à la Juilliard et d'oublier Bird." »

Miles Davis avec Quincy Troupe, *Miles, L'Autobiographie*, Presses de la Renaissance, 1989

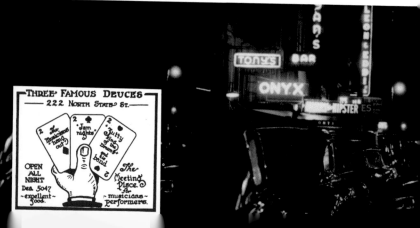

En 1951, Dizzy Gillespie, qui venait de dissoudre son orchestre, rejoignait souvent Charlie Parker à l'affiche du Birdland. A droite, on reconnaît le jeune John Coltrane qui, après avoir joué dans le big band de Dizzy, fréquentait encore son sextette.

Avant de devenir la figure emblématique du be-bop, Charlie Parker avait étudié les grands maîtres du jazz classique à Kansas City et New York

Le saxophoniste alto Charlie «Bird» Parker, artisan génial de la révolution bop, était originaire de Kansas City, cité du blues, du riff et de la jam session. Il passa son adolescence au Reno Club à écouter Lester Young, son modèle, qui se produisait alors dans l'orchestre de Count Basie. Il apprit de lui cette liberté rythmique qui fascinait tant les amateurs de Lester, cette manière de phraser si personnelle.

Lorsqu'il arriva à New York, il se fit embaucher comme plongeur dans le café où jouait sa seconde idole, le pianiste Art Tatum.

Parker lui-même racontait avoir eu la révélation «harmonique» dès 1939, lorsqu'il découvrit la possibilité de greffer, sur chaque accord préexistant, une série de notes complémentaires dans l'octave supérieure. Cette superstructure de l'accord étendit considérablement le champ de liberté de l'improvisateur. Bien plus, réduit à un «squelette» harmonique, objet de toutes les manipulations (extension et substitution d'accords, notes étrangères et accords de passage), le texte musical des standards n'était plus que prétexte à l'improvisation, et de cette désacralisation du thème résulta le répertoire du bop. Ainsi, sur les standards *Indiana* et *How High the Moon*, le saxophoniste écrivit *Donna Lee* et *Ornithology*. Avec Dizzy Gillespie, il transforma *Whispering* en *Groovin' High*. Sur le plan de la dextérité tout comme celui de la conscience harmonique de l'improvisateur, ces démarquages, exposés à l'unisson par le saxophone et la trompette sur tempo rapide, réclamaient une virtuosité jusque-là inimaginable.

On comprend ainsi que, dans un premier temps, le be-bop n'ait été le fait que d'un nombre restreint de créateurs.

Par ses excentricités scéniques, son affolante virtuosité, l'audace et la pertinence de ses écarts harmoniques, Dizzy Gillespie est

BOB REISNER Presents
"BIRD"
CHARLIE PARKER
AND HIS ALL STARS
BREW MOORE — Tenor   WALTER BISHOP JR. — Piano
ART MADIGAN — Drums   TED KOTICH — Bass
Sunday, June 6
9.30 P. M. to 2 A. M.
OPEN DOOR
55 WEST 3rd STREET

Charlie Parker (à gauche) et Dizzy Gillespie (à droite), inventeurs du be-bop.

❝ Quand Parker est arrivé à New York en 1942, le nouveau style était né, mais il lui a apporté une dimension supplémentaire [...]. Sa contribution se situe surtout au niveau de l'interprétation des thèmes, de l'accentuation dans le phrasé, et de l'esprit "bluesy". ❞
Dizzy Gillespie, cité in Dizzy Gillespie et Al Fraser, *To Be or Not To Bop*, Presses de la Renaissance, 1981

SAVOY RECORDS
(B 903)   936 B
PARKER'S MOOD
(Charlie Parker)
CHARLIE PARKER ALL STARS
Charlie Parker, Alto Sax; Miles Davis, Trumpet; Bud Powell, Piano; Curley Russell, Bass; Max Roach, Drums.
Direction : T. Reig

resté, durant de longues années d'activité,
l'incarnation vivante du be-bop première manière.
Thelonious Monk, absorbé par ses inlassables
expériences, n'a rencontré la compréhension du
public que des années plus tard, mais Bud Powell ne
tarda pas à tirer la leçon de cet art de la transgression
tâtonnante pour le combiner à l'urgence des envolées
de Charlie Parker. Il devint ainsi le pianiste de
référence des quinze années à venir. Quant à Kenny
Clarke, il fut le père de la batterie be-bop. Il émancipa
l'instrument en limitant l'énoncé strict du tempo au
contretemps du
charleston

"J'ai beaucoup appris,
musicalement et
intellectuellement,
avec Dizzy. Il
m'expliquait des
compositions d'accords
et des tas d'autres
choses. Et la manière
dont il espaçait ses
phrases m'avait frappé
aussi. [...] Diz prétend
qu'il faut à un
musicien une vie
entière pour apprendre,
ou mieux vaut ne pas
jouer.**"** James Moody,
cité par Al Fraser
To Be or Not To Bop,
Presses de
la Renaissance, 1981

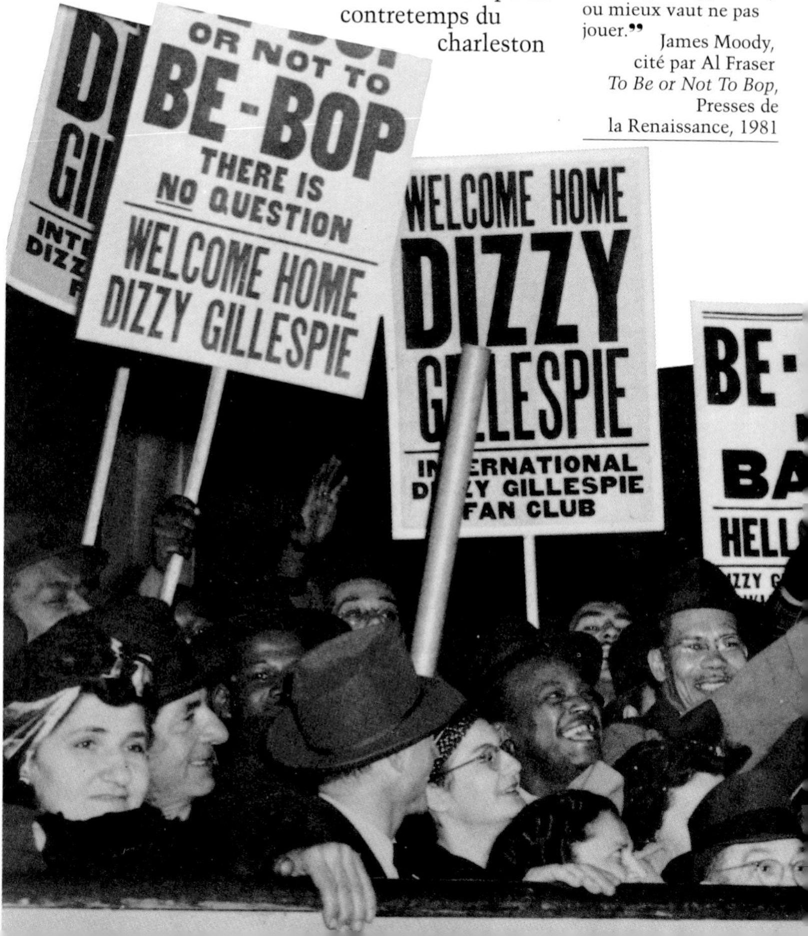

et au chabada, joué sur la cymbale «ride» à main droite. Ainsi, il laissait main gauche et pied droit disponibles sur le reste de l'instrument pour stimuler, commenter ou contredire le soliste en un dialogue polyrythmique permanent.

Fin 1945, une phalange de bopers, autour de Parker et Gillespie, quitta New York pour la Californie

La révolution bop gagna bientôt le monde entier, exportant avec elle le scandale qu'elle constituait pour les esprits obtus. En France notamment, le critique Hugues Panassié prit la tête d'une véritable cabale pour dénoncer le be-bop, contraire selon lui aux normes du jazz. Ces réactions ne furent pas étrangères au succès du New Orleans Revival qui ramena sur le devant de la scène les vétérans de La Nouvelle-Orléans. Mais les esprits créatifs étaient ailleurs. Tandis que dans ses soirées Jazz At The Philharmonic, l'impresario Norman Granz invitait les vedettes du jazz

« Welcome home Gillespie »... Personnalité exubérante, présence scénique exceptionnelle, humour : tout concourt à faire de Gillespie le nouvel ambassadeur du jazz dans le monde. Comme Armstrong ou Ellington en leur temps, Dizzy déclenche les passions sur son passage et sait entretenir, aujourd'hui encore, un public fidèle, aux Etats-Unis comme en Europe ou au Japon.

Au début de l'ère du bop, c'est au Minton's Playhouse que le pianiste Thelonious Monk (à gauche, ci-contre) mène inlassablement ses recherches. Ses nouvelles conceptions harmoniques, ses déroutantes mises en place rythmiques, sa technique pianistique marqueront le jazz moderne d'une manière capitale. A ses côtés, le trompettiste Howard McGhee.

Ci-dessous, Sarah Vaughan, la première grande vocaliste du nouveau style, en 1950 au Café Society, à New York. Ci-contre, le batteur Kenny Clarke au Minton's, en compagnie du pianiste John Lewis; et une étiquette de «V-Disc» (série d'enregistrements fabriqués pour l'armée américaine, objets de culte en France à la Libération).

des années trente à se renouveler auprès des jeunes loups de l'avant-garde, les vocations se multipliaient autour de ces derniers.

De la foule des suiveurs et des imitateurs, de nombreux continuateurs émergèrent. Découvertes dans l'ambiance expérimentale des petites formations de la 52ᵉ Rue, les fulgurances du bop avaient marqué les esprits. Mais les exposés à l'unisson et la succession rapide des chorus ne suffirent bientôt plus. Les questions auxquelles venaient de répondre les bopers sur le plan harmonique et rythmique en appelaient d'autres. Duke Ellington avait anticipé celles concernant la forme avec *Black, Brown and Beige*. Ses enregistrements expérimentaux sur 33 tours, dans les années trente, avaient annoncé un nouveau support permettant de dépasser la limite des trois minutes du 78 tours. Dès 1945, tout le jazz aspirait à l'épanouissement de la forme et, dans l'attente du microsillon commercialisé à partir de 1948, se posait déjà la question : que faire du be-bop?

No. 496A
SALT PEANUTS
Myers

Plink, Plank and Plunk
(Piano, Bass and Guitar)

Vocals by Tiger Haines and Wilson Myers

VP 1368   **Vocal**

This record is the property of the War Department of the United States and use for radio or commercial purposes is prohibited.

TÉMOIGNAGES
ET DOCUMENTS

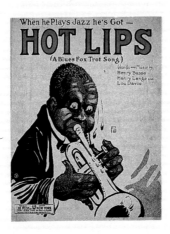

Origines et racines

L'historien qui s'intéresse aux racines du jazz doit savoir lire entre les lignes dans les textes anciens. Le prêche du révérend Nix est un exemple de survivance des pratiques fondatrices. Plus récemment, Didier Levallet et Denis-Constant Martin ont montré la part de la source vocale dans l'individualisation de la sonorité, tandis que Jacques B. Hess s'est posé la question de l'essence du jazz. Enfin, les pianistes Eubie Blake et Jelly Roll Morton se souviennent de la naissance de la première forme instrumentale reconnue du jazz : le ragtime.

Premiers témoignages

A propos des ring shouts[1] : Quand l'office solennel est terminé, les bancs sont repoussés contre les murs et [...] tous se groupent au milieu de la salle et, au signal donné, se mettent à avancer en rond l'un derrière l'autre, d'abord en marchant normalement, puis à pas traînés. Le pied quitte à peine le sol et ils progressent surtout grâce à un mouvement heurté, saccadé, qui agite le corps entier du crieur et le fait vite ruisseler de sueur. Ils dansent tantôt en silence et tantôt en chantant le refrain d'un spiritual, ou parfois même le chant entier. Mais le plus souvent un groupe composé de quelques bons chanteurs et de crieurs fatigués se tient à un bout de la salle pour «soutenir» les autres en chantant le corps de la chanson et en frappant leurs mains l'une contre l'autre ou sur leurs genoux.

Les propriétaires blancs voyaient-ils ces pratiques d'un bon œil? Frances Anne Kemble témoigne.

Jusqu'au récent mouvement pour l'abolition, on ne se souciait guère plus de l'intérêt spirituel des esclaves que de leurs besoins matériels. Le tollé [...] contre le système a incité ceux qui le soutiennent et le défendent à consentir, à titre de circonstances atténuantes, à un certain semblant d'instruction religieuse. [...] A Darien une église a été spécialement affectée aux esclaves, qui sont ici presque tous baptistes, et le pasteur (blanc, bien entendu) qui y officie déploie, à ce que je comprends, beaucoup de zèle pour la cause du bien-être spirituel. Comme la plupart des hommes du Sud, qu'ils appartiennent ou non au clergé, dans ses charités envers les esclaves, il saute la vie actuelle et passe à la suivante pour laquelle il s'occupe de leur fournir toutes les facilités nécessaires.[2]

On se souvient qu'à La Nouvelle-Orléans, les Noirs se réunissaient à Congo Square. L'architecte Benjamin Latrobe, de passage en 1819, raconte.

La musique était jouée par deux tambours et un instrument à cordes. Un vieil homme, à califourchon sur un tambour cylindrique d'environ trente centimètres de diamètre, le frappait du bord de la main et des doigts avec une vélocité incroyable. L'autre tambour, une sorte de caisse ouverte à douves, était tenu entre les genoux et frappé de la même façon. [...] Mais le plus curieux était l'instrument à cordes, certainement importé d'Afrique. En haut de sa crosse, il y avait la silhouette grossière d'un homme assis avec, derrière lui, deux chevilles auxquelles étaient fixées les cordes. Le corps de l'instrument était une calebasse. [...] Un autre instrument [...] était fait d'un morceau de bois découpé ayant à peu près la forme d'une batte de cricket, avec au milieu, tout du long, une profonde rainure.[3]

Noirs au travail dans les champs de coton.

Un autre témoignage d'époque évoque le souvenir d'un jeune danseur noir, William Henry Lane, connu sous le nom de «Juba», qui se produisait alors dans un «dancing» de New York, dans le district de Five Points.

Le gros violoniste noir et son ami qui joue du tambourin frappent du pied sur les planches de la scène où ils sont assis et entonnent une petite mesure guillerette. Cinq ou six couples entrent en piste conduits par un jeune nègre, très vif, qui est le bel esprit de l'assemblée et le plus grand danseur connu. [...] Et voilà notre homme qui se met à sauter, à tournoyer, faisant claquer ses doigts, roulant les yeux, retournant ses jambes à l'envers, pivotant sur la pointe des pieds ou des talons, dansant sur deux jambes gauches, deux jambes droites, deux jambes raides, deux jambes de caoutchouc et bientôt ne dansant plus sur aucune jambe![4]

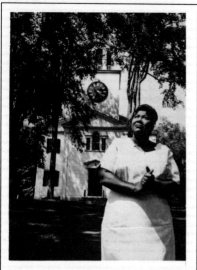

Un exemple de «preaching» célèbre :

Un sermon typique et parfaitement authentique, tel qu'on peut le trouver dans le recueil *The Gospel Book*, publié par MCA (510.187) dans la série «Jazz Heritage». Il s'agit d'une pièce gravée à New York en 1927 par le révérend Nix et sa congrégation, sous le titre *The Black Diamond Express For Hell*. […] Le révérend Nix utilise l'image du chemin de fer, souvent sollicitée dans le folklore noir, aussi bien profane que religieux. […] Contrairement au train de l'Evangile décrit dans le *Gospel Train*, celui du révérend Nix est celui qui conduit les pécheurs en Enfer.

«I take my text this morning
In Matthew 7th chapter 13th verse.
Enter ye in at the straight gate
For wide is the gate and broad is the way
That leads to destruction
And many there be that go in thereat!
This train is known as
The Black Diamond Express to Hell!
Sin is the engineer

Pleasure is the headlight
And the Devil is the conductor.
I see the Black Diamond as
She starts off for Hell.
The bell is ringing :
"Hellbound, hellbound!"
The Devil cries out :
"All aboard for Hell!"
(Je prendrai mon texte ce matin
Dans l'évangile de saint Matthieu
Chapitre sept, treizième verset.
Entrez par la porte étroite,
Parce que la porte est large
Et le chemin spacieux
Qui mène à la perdition
Et nombreux sont ceux qui y entrent.
Ce train s'appelle
L'Express du Diamant noir pour l'Enfer!
Le Péché en est le mécanicien,
Le Plaisir en est le phare avant,
Le Diable en est le machiniste.
J'ai vu le Diamant noir
Alors qu'il partait pour l'Enfer.
La cloche se mettait à sonner :
«En route pour l'Enfer!»
Et le Diable de crier :
«En voiture pour l'Enfer !»
Le succès de ce sermon, enregistré en 1927 pour Vocalion, fut tel auprès des habitants de Harlem que le révérend Nix dut enregistrer en 1929 les troisième et quatrième parties de son prêche, puis en 1930 les cinquième et sixième parties (toujours pour Vocalion, marque pour laquelle il a enregistré une cinquantaine de faces).[5]

(1) Article du journal *La Nation* du 30 mai 1867, cité *in* H. E. Krehbiel, *Afro-American Folksongs*, New York, G. Schirmer, 1914, lui-même cité *in* LeRoi Jones, *Le Peuple du blues*, 1963, Gallimard, 1968.
(2) Frances Anne Kemble, *Journal of a Residence on Georgia Plantation in 1838-1839*, New York, Alfred A. Knopf, 1961, cité *in* LeRoi Jones, *op. cit.*
(3) Cité par Marshall Stearns, *The Story of Jazz*, New York, Oxford University Press, 1956, lui-même cité *in* LeRoi Jones, *op. cit.*
(4) Charles Dickens, *American Notes*, cité par

Jean-Christophe Averty dans son article «Les Minstrels», publié dans la revue *Jazz Hot,* juillet-août 1953.
(5) Extrait d'un article de Jacques Demêtre, publié dans la revue *Jazz Hot,* juin 1979.

Le jazz : de la voix à l'instrument

Les origines essentiellement vocales de la musique noire américaine (work songs, spirituals et blues) ont entraîné une utilisation du son instrumental comme prolongement, voire imitation de la voix. Les musiques populaires se soucient peu d'académisme, chaque chanteur – puis chaque musicien – raconte sa propre histoire, colorée par son timbre vocal, puis instrumental, renforçant ainsi la personnalisation d'un discours énoncé à la première personne. [...] Considérant son instrument comme le prolongement naturel de sa propre voix (fût-elle intérieure), le musicien de jazz n'a de cesse que de cultiver sa différence et se rendre immédiatement identifiable à la seule audition d'une sonorité n'appartenant qu'à lui. Tous les grands solistes de jazz – même les plus copiés – ont ainsi su établir leur propre sonorité, que l'initié reconnaît d'emblée. On pourra même dire de certains qu'ils existent d'abord (et parfois, peut-être seulement) par leur son.

Didier Levallet
et Denis-Constant Martin,
L'Amérique de Mingus, P.O.L., 1991.

Qu'est-ce que le jazz?

La question a été mille fois posée, sans qu'on y apporte jamais de réponse définitive. Nous ne prétendrons pas faire mieux. A une vieille dame qui lui demandait un jour : «What is jazz?» le truculent pianiste Fats Waller répondit,

Réunion de méthodistes noirs, où apparurent les premiers «gospel songs».

après avoir poussé un soupir : «Madame, si vous ne le savez pas encore, laissez tomber!» Il y a de la profondeur dans cette boutade, de même que dans celle qu'on attribue à Louis Armstrong. Une dame – la même, peut-être? – lui ayant demandé : «Mr Armstrong, just what is swing?», Louis, de sa grosse voix rocailleuse, répondit : «Lady, if you gotta ask, you'll never know!» Cependant, de toutes les définitions proposées, il nous semble que la meilleure est celle du musicologue américain Marshall Stearns : «Le jazz est la résultante du mélange, pendant trois cents ans, aux Etats-Unis, de deux grandes traditions musicales, celle de l'Europe et celle de l'Afrique de l'Ouest.»

Jacques B. Hess, in *Histoire de la musique occidentale*, Fayard, 1985

Souvenirs d'un vétéran

Le pianiste Eubie Blake est mort centenaire en 1983. Il raconte :

Mes parents étaient esclaves en Virginie. Ils sont ensuite venus dans le Maryland, où mon père travaillait comme docker, et c'est là que je suis né, à Baltimore, le 7 février 1883. [...] Ma mère avait eu onze enfants, mais tous moururent en bas âge. Nous n'avions pas de piano, peu de gens de couleur en avaient un. [...] Un samedi soir [...] j'ai entendu un orgue de l'autre côté de la rue. C'était un démonstrateur qui jouait. Je suis rentré dans le magasin. Pendant ce temps, ma mère me cherchait. Un passant lui a dit qu'il m'avait vu entrer chez le marchand. Quand elle est arrivée, le démonstrateur lui a dit : «Ce gosse est un génie, achetez-lui un orgue!» Ma mère ne voulait pas. Ils ont réussi à lui faire donner son adresse et, le lundi matin, on nous livrait l'instrument, un orgue Weaver, qui valait 75 dollars. Il fallait payer un dollar tout de suite, et 25 cents par semaine. C'est comme ça que j'ai débuté, je devais avoir quatre ou cinq ans. [...] A cette époque-là, un Noir qui voulait gagner sa vie n'avait que quatre issues possibles : l'église – ce qui rapportait peu –, les *Medecines shows*, les bordels et les dancings. Quand je rentrais du travail, le soir, ma mère me disait : «Pose tes chaussures et enlève cette sciure que tu traînes, je ne veux pas qu'elle entre dans ma maison!» A cette époque-là, je jouais dans les bas-fonds. Parfois dans des endroits, comme le White House, où il n'y avait que des clochards, des épaves! Mais je n'y restais pas plus qu'une semaine, c'était trop dur. […] Je ne prononce jamais le mot jazz devant une dame, c'est un mot très très sale. Ma musique, c'est du ragtime. Un jour que ma mère travaillait – elle lavait le linge et faisait le ménage chez les Blancs –, j'étais à la maison et je jouais, elle était très religieuse. Elle est rentrée à l'improviste et a hurlé : «Pas de ragtime chez moi!» C'était la première fois que j'entendais ce mot. C'était alors une musique de lieux mal famés, de bordels, d'arrière-salles de bar.

«Memories of Eubie Blake», publié dans la revue *Jazz Magazine*, avril 1983

Jelly Roll Morton, l'«inventeur» du jazz

Aucun de ces hommes [les hommes de La Nouvelle-Orléans] ne gagnait beaucoup d'argent; ils se contentaient d'un dollar peut-être par nuit, ou de deux sacs pour un enterrement; [mais] ils avaient coutume de dire : «C'est la plus chouette ville du monde. Qu'irions-nous faire ailleurs?» Aussi trouvait-on là les meilleurs musiciens du pays. Les chiffonniers eux-mêmes signalaient leur passage dans les rues en jouant le blues sur les embouchures de bois de leurs trompettes d'enfant. […] Oui, tous ces gens-là jouaient le ragtime dans un style hot; on peut jouer hot tout ce que l'on

veut, sans, pour autant, faire de la musique de jazz. Hot est synonyme d'épicé. Le ragtime obéit à un mode particulier de syncope; tous les airs ne s'y prêtent pas. Mais le jazz est un style qui peut s'appliquer à n'importe quelle sorte d'air. J'ai commencé à employer ce mot en 1902 pour montrer aux gens qu'il y avait une différence entre le jazz et le ragtime.

Jelly Roll Morton, *in* Alan Lomax, *Mister Jelly Roll*, 1950, P.U.G., 1980

Aux sources du blues

Le bluesman Big Bill Broonzy raconte comment il fit son apprentissage sur des instruments de fortune. Caractéristique essentielle du blues, les blue notes ont suscité dès les débuts de la musicologie du jazz des interprétations parfois contradictoires : Jacques B. Hess en démêle l'écheveau. Gérard Herzhaft nous fournit de précieuses définitions géographiques du blues.

Instruments de fortune

A l'âge de dix ans environ, je me suis fabriqué un violon au moyen d'une boîte à cigares; pour mon copain, Louis Carter, j'ai bricolé une guitare avec des boîtes de marchandises et nous allions jouer à des parties de campagne. Il y avait parfois deux estrades, l'une pour les Noirs et l'autre pour les Blancs. Ces derniers aimaient nous entendre jouer nos vieilles chansons.

William Lee Conley Broonzy
et Yannick Bruynoghe,
Big Bill Blues, Ludd, Paris, 1987

A propos des blue notes

Historiquement, la première explication rationnelle des blue notes a été proposée par le musicologue américain Ernest Borneman en 1946. La thèse de Borneman est la suivante : les Noirs déportés en esclavage ne connaissaient que la gamme pentatonique tonale, qui ne comporte pas de quarte ni de septième : *do*, *ré*, *mi*, *sol*, *la*. Exposés aux

musiques d'origine européenne (religieuses et profanes), ils auraient instinctivement infléchi vers le bas la tierce et la septième. Mais cette explication n'est plus très convaincante depuis que l'ethnomusicologie africaine a montré qu'il n'existe pas en Afrique de l'Ouest que des gammes pentatoniques, ni même qu'elles sont plus répandues que les autres échelles, notamment l'heptatonique.

Parmi toutes les autres explications avancées, il faut aussi retenir celle de Marshall Stearns, la théorie des «neutral notes». Ces notes neutres, qui n'existent pas dans notre gamme tempérée, se situent exactement entre la tonique et la quinte (*do* et *sol*) et, de même, précisément, entre la quinte et l'octave (*sol* et *do*). Il les appelle respectivement une tierce neutre et une seconde neutre. A notre oreille occidentale, ces notes, lorsqu'elles sont chantées juste, sonnent faux.

Dans un travail récent, Jeff Todd Titon propose de renoncer à la notion de blue notes pour la remplacer par celles de «complexe *mi*», de «complexe *sol*» et de «complexe *si*». En analysant une quarantaine d'enregistrements de blues vocaux archaïques, il établit les fréquences d'utilisation des micro-intervalles qui forment ces «complexes». Ainsi, le complexe *mi* est formé de *mi bémol*, *mi bémol* plus, *mi bécarre* moins et *mi bécarre*.

Ces théories, au fond, ne sont pas exclusives l'une de l'autre. C'est Nketia qui semble mettre tout le monde d'accord lorsqu'il nous apprend que, dans la musique africaine, il existe des gammes à sept degrés non équidistants qui "incorporent des demi-tons, des tons entiers, et des intervalles qui sont légèrement inférieurs à un ton entier et légèrement supérieurs à un demi-ton,

particulièrement entre les troisième et quatrième degrés et entre les septième et huitième degrés.

Jacques B. Hess,
op. cit.

Petite cartographie du blues

Gérard Herzhaft fournit un survol documenté des différents styles régionaux, ainsi que des grandes écoles urbaines apparues sous l'impulsion des producteurs.

Delta Blues : La région du delta du Mississippi [...] passe souvent pour avoir été le berceau du blues [...]. Plus qu'ailleurs, le chanteur de blues du delta est totalement impliqué dans sa musique, qu'il crée au fur et à mesure que progresse le morceau. Lui et ses auditeurs recherchent entièrement un effet cathartique à leurs tourments. Le chant est en général tendu et véhément; les versets, pleins de métaphores, s'imbriquent les uns dans les autres sans logique apparente, mais tissent une trame poétique hautement évocatrice; le jeu de guitare (sauf de notables exceptions comme John Hurt) est peu sophistiqué mais bien souvent imaginatif et très complexe, utilisant à fond toutes les ressources de l'instrument. Le bottleneck est très fréquemment utilisé. Par-dessus tout, le blues du delta se caractérise par des basses puissantes et un rythme lancinant qui provient en droite ligne des origines africaines de cette musique. [...] Le Chicago blues des années cinquante est en fait une extension et une électrification du blues du Delta.

Texas : à l'ouest de La Nouvelle-Orléans s'étend le «domaine texan» [...]. Cette région immense est restée longtemps isolée du reste des Etats-Unis [...] ce qui explique le développement de traditions culturelles particulières et le maintien d'une mentalité esclavagiste prononcée. [...] A l'intérieur de cette communauté noire, on constate à la fois le maintien étonnant de formes musicales extrêmement anciennes et l'émergence d'un style de blues très original où l'influence espagnole est importante, notamment par l'introduction de phrases de flamenco dans la ligne mélodique. Le blues du Texas, tel qu'il est élaboré dans les années 20 par Blind Lemon Jefferson [...], est un chant qui, à l'inverse de son homologue de la Côte Est, n'est pas à proprement parler accompagné par la guitare, celle-ci répondant plutôt à la voix par des phrases en arpèges sur un canevas de basses appuyées. En outre, le blues du Texas a toujours eu des paroles pleines d'imagination et d'humour, racontant une histoire, et tombant rarement dans le «collage», [...] procédé fréquent dans le blues du Delta.

East Coast Blues : dans les Etats du sud-est des Etats-Unis, le long de la chaîne des Appalaches, [...] s'est développée une forme de blues nonchalante et décontractée, favorisant la virtuosité instrumentale plutôt que la profondeur des sentiments exprimés, à l'inverse des formes prises par le blues dans les Etats du Delta du Mississippi ou au Texas. [...] Plusieurs explications ont été avancées : la séparation raciale était moins forte ici qu'ailleurs et les Noirs y jouissaient d'une vie relativement plus aisée que dans des bastions de la ségrégation comme le Mississippi ou le Texas, ce qui expliquerait [...] l'interpénétration des répertoires musicaux traditionnels noirs ou blancs qui sont ici fortement imbriqués.

C'est dans cette région qu'est probablement née la guitare ragtime, aujourd'hui si répandue dans le monde.

Chicago : dès 1920, les Noirs du «Sud profond» (Deep South) ont transplanté à Chicago leur musique. [...] Ce n'est cependant que vers 1928 qu'émerge un style de blues propre à Chicago : mélange du classic blues, né du vaudeville et sur le déclin, et du country blues, musique traditionnelle du Sud, à destination d'un public noir urbain qui se veut raffiné. [...] Mais l'éclosion de ce blues de Chicago d'avant 1945 est avant tout l'œuvre du producteur blanc Lester Melrose. [...] Melrose découvre et enregistre Big Bill Broonzy en 1930.

Durant toute la décennie suivante, Melrose règne en maître sur le blues de Chicago, étant le producteur attitré des catalogues noirs de Columbia, puis de RCA-Bluebird.

La Seconde Guerre mondiale voit un nouvel afflux massif d'immigrants noirs du Sud. [...] Chicago est à ce moment-là un creuset foisonnant de création et la décade 1947-1957 est sans doute «l'âge d'or du blues» par excellence.

Le blues prospère dans les clubs de Chicago, mais ce n'est plus le policé et le débonnaire Bluebird qui a cours ici, mais un blues suramplifié gardant la dureté et l'intensité dramatique de celui du Delta.

C'est là que de petites compagnies indépendantes prennent le relais. [...] Chess est la compagnie la plus célèbre, découvrant Muddy Waters [...], mais Vee-Jay, la première grande compagnie de disques dirigée exclusivement par des Noirs [...] est le seul véritable concurrent de Chess sur le marché du blues avec, sous contrat, des artistes tels que John Lee Hooker.

A partir de 1958, le Chicago Blues, représenté par Muddy Waters ou Howlin' Wolf, marque le pas et laisse la place à une nouvelle génération de musiciens qui marie son influence avec celle plus sophistiqué de B.B. King.

Memphis : première grande ville en remontant le delta du Mississippi, [...] principal centre d'amusement [...]. Au début du siècle, le quartier noir situé entre Beale Street et Fourth [...] n'est qu'un grand secteur réservé aux jeux, aux boissons fortes, à la prostitution, aux bagarres et, bien sûr, à la musique. Beale Street est toute la journée arpentée par des orchestres de rue composés surtout, contrairement à ceux de La Nouvelle-Orléans, d'instruments à cordes (string bands) ou agrémentés d'une sorte de trompette artificiellement créée en soufflant dans une bouteille vide (jug bands). [...] Après 1945, la scène du blues à Memphis, comme dans les autres grands centres, se transforme complètement : les jug bands et les string bands se raréfient dans Beale Street au profit d'un blues électrique alors en vogue dans les cabarets du quartier noir. [...] C'est là qu'intervient Sam Phillips. Petit homme d'affaires du Sud, il s'aperçoit de cette lacune et décide d'investir ses capitaux dans la création de studios d'enregistrement modernes et bien équipés, MRS (Memphis Recording Service).

Il enregistre une cohorte de bluesmen remarquables [...], sans obtenir le succès commercial auquel il aspire. [...] C'est pour cette raison qu'il se met à chercher un Blanc qui chanterait dans le style fougueux des Noirs, et trouve, en 1945, Elvis Presley. [...] Dans la foulée de Presley s'engouffrent de nombreux nouveaux venus [...] qui ont créé la branche blanche du rock n roll. [...] Jusqu'en 1968, Sam Phillips va faire prospérer son entreprise, enregistrant des dizaines d'artistes de tous idiomes

[...] avec des musiciens noirs de rhythm'n'blues qui ont ouvert la voie du «Memphis sound».

La Nouvelle-Orléans : après 1945, un blues local nettement marqué va pouvoir se révéler avec la création de studios d'enregistrement [...], l'entrée sur le marché du disque de producteurs indépendants [...] et le déclin du jazz dixieland, qui laissait la place à une nouvelle musique populaire noire. Celle-ci, représentée avec brio par Professor Longhair et Fats Domino, se caractérise par une extrême sophistication, la prédominance du piano, une double ligne de basses créée par un jeu entrelacé guitare/contrebasse.

Extraits d'articles tirés de *La Nouvelle Encyclopédie du blues* de Gérard Herzhaft, éditions J. Grancher, Paris, 1984.

Le boogie woogie, du blues au jazz

Boogie woogie : jeu unique de piano obtenu par le martèlement continu de la main gauche qui frappe huit basses par mesure et donne une impression soutenue de marche en cadence (walking basses ou basses ambulantes). Pendant ce temps-là, la main droite improvise des variations à l'infini dans le rythme ou à contre-chant. Si elle est bien interprétée, cette musique dégage un swing intense qui a considérablement influencé le jazz, le blues moderne, puis le rock and roll et toute la musique rock.

Op. cit.

Louis, Sidney, Earl et Art

Louis Armstrong se souvient de La Nouvelle-Orléans. James Lincoln Collier et Jack Teagarden témoignent de ses débuts au sein de la formation de Fate Marable, tandis que Rex Stewart raconte son arrivée à New York en 1924. Sidney Bechet évoque les fanfares de La Nouvelle-Orléans et suscite le premier article sur le jazz, signé par Ernest Ansermet. Enfin, Earl Hines et Art Tatum donnent ses lettres de noblesse au piano jazz.

Un bal à La Nouvelle-Orléans

Le samedi soir, maman ne pouvait pas nous trouver parce que nous voulions écouter de la musique. Avant le bal, l'orchestre jouait dehors pendant une demi-heure. Et nous, les gosses, nous dansions. Et après, nous regardions à l'intérieur, à travers les fentes du Funky Butt. C'était seulement une grande et vieille salle avec un podium. Et, sur un thème comme *The Bucket's Got A Hole In It*, quelques-unes des filles s'agitaient de haut en bas, remuaient tout et se tapaient les fesses. Yeah! A la fin de la soirée, il y avait le quadrille. C'était beau à voir, s'il n'y avait pas eu de bagarre avant!

Propos de Louis Armstrong recueillis par Richard Meryman pour *Life*, 1966, publiés en français dans *Jazz Magazine*, juillet-août 1970

1919 : Armstrong joue sur les riverboats

Armstrong avait commencé de travailler sur les «riverboats» qui ont occupé une telle place dans la légende du jazz Nouvelle-Orléans. […] Leur déclin était déjà bien avancé en 1878, au moment où un nommé John Streckfus, de St. Louis, mit ses intérêts dans l'affaire. Il la transmit à ses fils […] parmi lesquels Joe semble avoir été la figure dominante. Voyant cependant que les affaires étaient vraiment en train de dégringoler, en 1907 ou 1908, ils décidèrent de transformer au moins une partie de leur flotte en bateaux d'excursion. […] Joe Streckfus entra en contact avec le syndicat des musiciens noirs de St. Louis. On lui recommanda un jeune pianiste du nom de Fate Marable. […] Dans les années qui suivirent […] il fit entrer dans ses orchestres de riverboats un certain nombre de musiciens qui devaient devenir d'authentiques pionniers du jazz : Johnny et Baby Dodds, Johnny St. Cyr, Pops Foster et, naturellement, Armstrong.

James Lincoln Collier, *Louis Armstrong*, 1983, traduction française, Denoël, 1986

A la pointe du jour, nous nous promenions, un ami et moi, sur les quais de La Nouvelle-Orléans. J'entendis soudain le son lointain d'une trompette. Je ne voyais rien, sauf un bateau d'excursion qui glissait dans le brouillard, vers le port. Puis la mélodie m'arriva plus distinctement, bien que le bateau fût encore à distance, assez proche pourtant, pour me permettre de distinguer, à l'avant, un Noir, debout dans le vent et soufflant les plus belles notes que j'ai jamais entendues. C'était du jazz... Je ne me souviens plus si c'était *Tiger Rag* ou *Panama*, mais je me souviens que c'était Louis Armstrong, descendu du ciel comme un dieu. J'étais figé sur place, écoutant jusqu'à ce que le bateau jetât l'ancre. Lorsque l'orchestre descendit, celui de Fate Marable, je me mis à parler aux musiciens et Marable me présenta à ce cornettiste inconnu au visage rond et ouvert.

Jack Teagarden, in *Esquire*, août 1944, cité par Michel Boujut, *Pour Armstrong*, Filipacchi, 1976

1924 : Armstrong objet de culte

Louis fut le héros du jour et je devins fou de lui comme le reste de la ville. J'essayai de marcher comme lui, de parler comme lui, de manger comme lui. Je m'achetai même une de ces paires de grosses godasses de policeman comme celles qu'il portait. Je me postai pendant des heures devant sa porte, rien que pour l'apercevoir au passage. Enfin, je réussis à lui serrer la main et lui parler.

Rex Stewart, cité par Michel Boujut, *op. cit.*

King Oliver et Louis Armstrong, en 1922.

1970 : Armstrong au crible de ses confrères

Armstrong [...] possédait déjà, à 23 ans, quelque chose de plus que les autres trompettistes contemporains, qui nous permet de le distinguer, même dans les ensembles : son vibrato, sa façon de placer les notes et le son, en bref, sa technique personnelle. King Oliver joue «carré» en accentuant le temps, Louis prend déjà tout son temps pour attaquer la note, presqu'en retard, il se fait porter et introduit déjà cette notion de relaxation qu'il portera plus tard à son apogée.

Irakli Davrichevy, in *Jazz Hot* n° 263, 1970

En s'imposant comme soliste, Louis a fait éclater l'orchestre Nouvelle-Orléans. En d'autres termes, par le fait de sa personnalité trop forte, Louis a rompu l'équilibre organique d'une musique polyphonique en ouvrant la voie à une nouvelle musique, plus individualiste celle-là. Je m'explique : la musique Nouvelle-Orléans était jusque-là l'œuvre d'une «équipe» dont chaque instrumentiste improvisait une partie complémentaire en fonction des autres musiciens.

Roger Guérin, *op. cit.*

Batailles de fanfares à La Nouvelle-Orléans

Voici ce qu'étaient les «batailles de fanfares». Une fanfare arrivait tout de go devant une autre fanfare en train de jouer, et la narguait en jouant à son tour plus fort et, si possible, avec plus de chaleur, plus d'éclat. Alors la première fanfare répondait à celle qui venait

d'arriver, tâchant, par son brio et son allant, de lui damer le pion… et ainsi de suite jusqu'à ce qu'une des deux fanfares cesse de jouer, les musiciens écœurés par le talent et la puissance de leurs confrères et rivaux. Alors la foule accourait vers la fanfare gagnante et offrait aux musiciens vainqueurs nourriture et boisson. Puis les gens réclamaient encore et encore de la musique. Ils n'en avaient jamais entendu assez, n'en semblaient jamais rassasiés. Et, bien sûr, la fanfare qui avait triomphé était toujours celle dont les musiciens avaient joué le mieux, mais avaient joué le mieux ensemble. D'ailleurs, quel que soit le genre de musique interprétée, l'orchestre qui joue avec le plus d'ensemble est toujours le meilleur.

Sidney Bechet,
La Musique c'est ma vie, 1960,
La Table ronde, 1977

1919 : Noble Sissle découvre Bechet

Un soir que je me trouvais au Charlie Lett's Café, dans State Street, quelqu'un me désigna un petit bonhomme trapu assis au bar en me recommandant de l'écouter jouer de la clarinette. […]

Sidney Bechet

Comme je ne voyais pas d'instrument près de lui, j'ajoutais : «Puis-je aller chercher votre clarinette?» A quoi il me répondit avec un sourire timide et malicieux : «Non merci, je l'ai.»
Et, à ma grande stupéfaction, je le vis plonger sa main dans sa poche revolver pour en retirer un morceau de clarinette, puis en sortir un autre de la poche de son pardessus, enfin extraire le bec d'une troisième poche. Il commença à assembler sous mes yeux ces épaves de clarinette et, prenant un morceau de chewing-gum, il colla entre eux les morceaux tandis qu'il tendait des élastiques de tailles diverses pour actionner les touches. Enfin, il ajusta une anche qui ressemblait davantage à du papier d'emballage qu'à autre chose, tant elle était mince et usée. Mais, lorsqu'il demanda au chef d'orchestre d'attaquer le morceau qu'il lui avait indiqué, je puis vous dire que je n'avais jamais entendu pareille musique sortir de la plus belle clarinette du monde. Sidney joua un blues étrange, à la sonorité à la fois

moelleuse et puissante, qui me fit passer des frissons tout le long de la colonne vertébrale. Le lendemain, je revins avec Jim Europe qui, en l'écoutant, devint congestionné et voulut l'engager sur-le-champ.

> Noble Sissle, article publié dans
> *Jazz Hot*, juillet 1968

Ansermet : premier article sur le jazz

Il y a au Southern Syncopated Orchestra un extraordinaire virtuose clarinettiste qui est, paraît-il, le premier de sa race à avoir composé sur la clarinette des blues d'une forme achevée. J'en ai entendu deux qu'il avait longuement élaborés, puis joués à ses compagnons pour qu'ils en puissent faire l'accompagnement. Extrêmement différents, ils étaient aussi admirables l'un que l'autre pour la richesse d'invention, la force d'accent, la hardiesse dans la nouveauté et l'imprévu. Ils donnaient déjà l'idée d'un style, et la forme en était saisissante, abrupte,

Armstrong et Eldridge au Metropolitan Opera House, à New York (à gauche).

Ernest Ansermet, chef d'orchestre suisse.

heurtée, avec une fin brusque et impitoyable comme celle du deuxième *Concerto brandebourgeois* de Bach. Je veux dire le nom de cet artiste de génie, car pour ma part je ne l'oublierai pas : c'est Sydney [*sic*] Bechet. Quand on a si souvent cherché à retrouver dans le passé une de ces figures auxquelles on doit l'avènement de notre art, – ces hommes des XVIIe et XVIIIe siècles, par exemple, qui avec des airs de danses faisaient des œuvres expressives et ouvraient ainsi le chemin dont Haydn et Mozart ne marquent pas le point de départ, mais le premier aboutissement – quelle chose émouvante que la rencontre de ce gros garçon tout noir, avec dents blanches et ce front étroit, qui est bien content qu'on aime ce qu'il fait, mais ne sait rien dire de son art, sauf qu'il suit son «own way», sa propre voie, et quand on pense que ce «own way» c'est peut-être la grande route où le monde s'engouffrera demain.

Ernest Ansermet,
«Sur un orchestre nègre»,
article publié en 1919 dans la
Revue romande, republié dans
Jazz Magazine, janvier 1984

Earl Hines et le «trumpet piano style»

Je suis issu d'une famille de musiciens – mon père jouait du cornet, ma mère de l'orgue, mon oncle de toutes sortes de cuivres, et ma tante chantait des airs d'opérette. Quand ma mère a vu que j'essayais de l'imiter en mettant sur une chaise une feuille de papier en guise de partition, elle a acheté un piano. En fait, j'avais plutôt envie de jouer du cornet.

Mais en ce temps-là on n'avait pas encore mis au point le système qui permet de réduire la pression de la colonne d'air. Il fallait jouer, comme Dizzy Gillespie, avec la bouche pleine d'air, et cela me faisait mal derrière les oreilles. Très déçu, je me suis donc mis au piano. Et dès que j'ai été en mesure de jouer à peu près comme je le souhaitais, j'ai commencé à jouer du piano à la façon d'une trompette. Comme ce style convenait parfaitement à une époque où il fallait travailler sans amplification, de nombreux pianistes l'ont imité afin de mieux se faire entendre.

Earl Hines, interview dans
Jazz Magazine, juillet 1975

Art Tatum connaît ses classiques

Sa compétence musicale était à vous couper le souffle. Il pouvait rejouer pratiquement tous les morceaux qu'il n'avait entendus qu'une seule fois et placer des citations musicales classiques et folk dans ses solos de piano. J'en étais venu à le connaître si bien que je savais, d'après son jeu, de quelle humeur il était. Lorsqu'un auditoire bruyant l'agaçait, un accord percutant ou une envolée foudroyante en faisait prendre conscience à chacun. En fait, je ne me rappelle même pas l'avoir jamais entendu travailler le piano comme le font la plupart des pianistes. Il répétait tout simplement ses idées dans sa tête, sachant qu'aussi complexes ou compliquées qu'elles soient, il possédait la technique pour les exécuter. S'il voulait étudier un morceau en détail, il portait le manuscrit près de son œil et le lisait avec une loupe. [...] Hazel Scott emmena le célèbre pianiste de musique

classique Vladimir Horowitz au Café Society pour écouter Tatum. Elle savait que chacun admirait la technique de l'autre et après la prestation de Tatum, elle fit les présentations. Eh bien, moi j'étais là, à cette table, et je pourrais jurer que la terre elle-même trembla sous nos pieds au moment où ces deux géants se serrèrent la main! Par la suite, Hazel amena le beau-père d'Horowitz, Arturo Toscanini, écouter Tatum et lui aussi fut ravi.

Aaron Bridgers, «Art Tatum»,
article publié dans la revue
Le Jazzophone, n° 12, 1982

Je crois qu'on ne peut pas ignorer ce qu'a vraiment apporté le génie d'Art Tatum. A mon avis Art Tatum demeure sûrement l'un des musiciens les plus inventifs et les plus déconcertants, justement par ce don qu'il avait, si l'on peut dire, d'écrire spontanément de la musique au fur et à mesure qu'il la jouait. [...] Prenons par exemple une de ses premières interprétations comme Begin the Biguine : la qualité de dépouillement dans l'invention est, à proprement parler, géniale.

Propos de Samson François,
in Jazz Magazine, n° 126

Earl Hines (ci-contre, à gauche), le compère d'Armstrong.

Big bands et solistes de l'ère swing

Barney Bigard et Paul Gonsalves parlent de Duke Ellington, leur chef d'orchestre. Count Basie ressuscite l'ambiance de Kansas City. Les saxophonistes Lester Young et Coleman Hawkins inspirèrent des portraits contrastés, à l'image de leur jeu. La chanteuse Billie Holiday subit les affres de la ségrégation raciale. Enfin, le trompettiste Roy Eldridge, en cherchant la virtuosité, annonce les acrobaties instrumentales des bopers.

Les hommes de Duke

Barney Bigard : Quand il composait un morceau, il écrivait le thème et laissait des blancs là où il voulait un solo. Il se bornait à écrire « solo de 8 mesures» et vous deviez inventer quelque chose qui ferait l'affaire. C'était bien et cela m'a donné beaucoup d'expérience. Duke était malin; et il l'est toujours! Quand Johnny Hodges ou moi on jouait un solo, il écoutait, et si on jouait un passage qui lui plaisait, il le notait et composait un air à partir de là.

Paul Gonsalves : Duke sait que son orchestre est composé de quinze musiciens qui sont aussi des êtres humains. Il s'attend à ce que les exécutions soient différentes selon l'humeur des gars et ce qu'il peut tirer d'eux. Nous pouvons être horribles un soir et fantastiques le lendemain. Quand il y a accord parfait entre les gars, qu'ils ont tous envie de jouer, quand tout se passe au poil et que nous jouons sa musique comme elle doit être jouée, c'est le plus grand orchestre de jazz du monde.

Cités *in* Stanley Dance, *Duke Ellington par lui-même et ses musiciens*, 1970, Filipacchi, 1976

Basie à Kansas City

Quand je suis retourné à Kansas City après avoir joué un bon moment avec les Blue Devils, j'ai retrouvé mon ancien boulot d'organiste pour films muets à l'Eblon Theatre. [...] A l'Eblon, à dix heures et demie, le dernier spectacle était terminé. J'étais donc libre, et il y avait toutes ces boîtes merveilleuses avec de la musique vivante. [...] Celle que je fréquentais le plus était le Yellow Front Saloon, que dirigeait Ellis Burton. [...] Comme il n'avait pas d'orchestre à demeure et qu'il n'engageait jamais personne pour une durée déterminée, et comme il y avait là un bon piano et une batterie, n'importe qui pouvait faire le bœuf et ramasser un peu de fric. [...] Kansas City était une ville de musiciens, et il y avait de bons musiciens partout où l'on allait; parfois, on restait dans la même boîte, parfois on en faisait deux ou trois, ou plus, mais il était impossible de faire la tournée de toutes les boîtes où ça swinguait en une seule nuit. Il y en avait trop.

Cité par Albert Murray, *Good Morning Blues, Count Basie,* 1985, Filipacchi, 1988

Trois petites notes...

J'ai toujours joué du jazz et du swing. Pour moi, les deux termes sont équivalents. Mais j'ignore comment s'est fait le style de l'orchestre. Je me demande même si mon orchestre a un style vraiment différent de celui des autres. A moins qu'on prenne en considération quelques petites choses qui permettent de nous identifier. [...] Je considère que je fais partie de la section rythmique. Dans notre cas, le piano est une partie importante de la section rythmique, qui à son tour est une partie importante de l'orchestre. Mais je me rends compte que certains orchestres

Duke Ellington, en 1923 (ci-dessus). Bennie Moten, en 1926 (à gauche).

feraient aussi bien avec moins de piano. [Pourquoi ne jouez-vous pas davantage en soliste?] Parce que je ne peux pas, je ne veux pas tenter ma chance outre mesure. Je suis limité, et je le sais. J'essaie seulement de jouer le blues. J'ai fait ça toute ma vie. [...] Il arrive souvent, quand le pianiste est leader, que les arrangements soient construits en fonction du piano. C'était le cas du «boss», Ellington, qui était un grand pianiste, ou encore de Earl Fatha Hines. Mais moi je n'ai jamais été un très bon pianiste, je me suis toujours contenté de faire quelques petites choses au début pour lancer l'orchestre et, parfois, de faire le même genre de choses au milieu d'un morceau.

Count Basie, in *Jazz Magazine,* octobre 1975

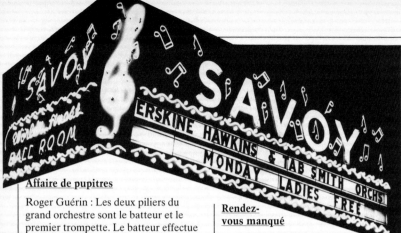

Affaire de pupitres

Roger Guérin : Les deux piliers du grand orchestre sont le batteur et le premier trompette. Le batteur effectue le même travail qu'en petite formation : il assure le tempo avec la contrebasse, la guitare et le piano. D'autre part, c'est lui qui ponctue et met en valeur tout ce que font les trompettes, les trombones et les sax, ou les tutti. La voix de chant est faite par le premier trompette. [...] Le premier trompette doit être un musicien absolument sûr; sa mise en place doit être impeccable : il ne peut pas se permettre de boire un verre de trop, par exemple. Le fait qu'il joue la voix la plus haute demande de sa part plus d'effort qu'aux autres membres de l'orchestre : il doit pincer plus que les autres pour qu'on l'entende lui d'abord.

Pierre Gossez : Le premier alto relaie le chef pour diriger [...]. Parce qu'évidemment un trompettiste ne peut pas diriger de sa place, pour des raisons purement géographiques. Les deux éléments les plus importants d'un pupitre de sax, ce sont l'alto et le baryton.

William Boucaya : Oui, et les parties les plus délicates à jouer sont celles du troisième alto et du quatrième ténor, les deux parties intermédiaires, les plus ingrates.

Jazz Hot, décembre 1979-janvier 1980

Rendez-vous manqué

Après avoir quitté King Oliver, de retour à Kansas City, Lester Young joue pour un soir avec l'orchestre de Bennie Moten, au fameux El Paseo Ballroom, où se déroulent d'ordinaire les annuelles compétitions d'orchestre. [...] Ce même soir, il apprend que l'orchestre de Fletcher Henderson vient d'arriver en ville. C'est donc pour lui l'occasion rêvée d'aller écouter le premier ténor de cet orchestre, ce musicien dont tout le monde parle, Coleman Hawkins.

« Je me suis précipité pour le voir, en profitant des pauses entre mes propres sets, mais je n'avais pas le sou et j'ai donc été obligé de rester à l'extérieur pour écouter. A un moment Fletcher a annoncé que son ténor ne pouvait pas jouer et il voulait savoir s'il y avait quelqu'un dans le coin capable de souffler. Moi qui avais parcouru des milliers de miles pour écouter Coleman Hawkins, voilà qu'il ne jouait pas. [...] Alors tous ces enfoirés autour de moi n'ont pas trouvé mieux que de crier "Red»", on m'appelait comme ça, "Red allez Red, vas-y et empoigne ce foutu saxophone".»

Luc Delannoy, *Lester Young, profession : Président,* Denoël, 1987

Hawkins venait tout juste de rentrer d'Europe, il était revenu alors que son *Body and Soul* était vraiment populaire; et tous les ténors étaient là à attendre Hawk : Don Byas, Cecil Scott, Chu, Lester, tous avec leur instrument. Hawk avait effectivement l'habitude de venir toutes les nuits et de les écouter jouer, mais il n'apportait jamais son sax. Il les écoutait tous souffler et leur disait comme ça : «Ouais, ça sonne pas mal, mais mec, quand je suis parti ils jouaient déjà la même chose, rien n'a changé. Ils jouent peut-être un peu plus vite, mais ce sont toujours les mêmes trucs.»

Bon, eh bien tout cela a duré à peu près une semaine ou deux, jusqu'à ce fameux matin où Hawk s'est pointé avec son sax. Les autres sax ont joué avec lui, puis finalement Hawk était le dernier à continuer à jouer. Il sonnait vraiment très bien, puis «Prez» (Lester Young) a lancé : «O.K. je m'en vais te suivre puisque tous les autres ont peur de le faire». Et dès que Hawk eut arrêté de jouer, Lester est monté sur scène et s'est mis à jouer. Mais c'était le genre de choses qui n'impressionnait pas beaucoup Hawk. Lester jouait, jouait, il commençait à se faire tard mais il continuait à jouer, si bien qu'à un moment Hawk a décroché et a commencé à ranger son sax. Il était à peu près sept heures du matin et il était prêt à quitter le club. Prez a vu qu'il partait, il est alors descendu de la scène et, toujours en jouant, il a suivi Hawk jusqu'à la portière de sa voiture dans la rue. C'était vraiment très drôle.

Cozy Cole, cité par
Luc Delannoy, *op.cit.*

Lestair

Lester Young n'est pas un musicien. Ce n'est même plus un ange, ni une divinité comme les autres. On a de la difficulté à lui mettre une chair. Il est l'air du ciel, celui qui nous fait respirer très haut, jusqu'au vertige. Lester est devenu un élément. Il y a le Feu, l'Eau, la Terre, l'Air et Lester, Lestair pour mieux dire. Petit, je me demandais comment on pouvait oser souffler dans un saxophone après Lester. Et pourtant c'est justement lui qui a permis à tous les autres de souffler. Lester n'a pas tout inventé. Il a donné au saxophone en général et à la musique en particulier le pouvoir d'évanouissement. Quand on écoute Lester Young on cherche avec sa tête un coussin imaginaire, on la décale, on la penche, on la jette en arrière, on sent flotter son cerveau dans sa boîte, comme un saxo dans son étui, on s'enferme dans ses épaules.

Marc-Edouard Nabe,
L'Ame de Billie Holiday, Denoël, 1986

Toute sa technique en tant que soliste était basée sur la paraphrase de la mélodie. Son improvisation consistait en

Coleman Hawkins, surnommé «Bean» (haricot) ou encore «Hawk» (faucon).

riffs simples et courts joués en opposition avec la structure harmonique de la chanson. Ce fut surtout par son style, sa sonorité «brumeuse», «veloutée», sa façon unique de courber les notes, de les fondre les unes dans les autres qu'il devint le «président» des saxophonistes ténors. [...] Les solos de Lester sont très simples et très faciles à analyser sur le plan strictement musical. Mais il est très difficile de pénétrer la grandeur de Lester par la simple analyse musicale, car ce que Lester jouait, c'était un «feeling».

Mickey Baker, pochette du disque «Lester for President, Historical Recordings with Oscar Peterson, John Lewis, Teddy Wilson», Verve

Il y avait ceci de prodigieux et d'unique chez Lester : c'est qu'il avait créé un nouveau langage musical, une nouvelle façon de s'exprimer sur un saxophone, sans lien apparent avec tout ce qui s'était fait auparavant sur cet instrument. D'où cette originalité permanente et aveuglante de son jeu qui ne pouvait qu'enthousiasmer ou choquer tout nouvel auditeur. Nouveau, ce langage l'était à la fois par la sonorité, par la structure mélodique et harmonique, mais surtout aussi par l'originalité des idées de Lester. Il n'improvisait plus à «ras du sol», horizontalement le long d'une mélodie donnée, mais «dans l'espace» comme s'il se fût enfin libéré de la pesanteur terrestre, c'est-à-dire du thème convenu, pour inventer d'autres mélodies, d'autres motifs musicaux inattendus, dont l'assemblage cohérent était régi par la plus implacable rigueur rythmique qui soit.

John Hammond, «Memories of Prez», in *Jazz Hot*, mars 1973

Hawkins ou la violence contrôlée

Lorsqu'il improvisait, c'était comme s'il libérait une formidable puissance longtemps contenue, comme si un trop plein d'énergie emportait tous les barrages. Les yeux clos, les paupières lourdes, obstiné, la tête basse, avec de grands coups d'épaule comme dans un corps à corps avec son saxophone, Coleman Hawkins semblait alors tout oublier du monde extérieur. Il enfantait dans la douleur de somptueuses arabesques gonflées de notes, chacune ciselée comme un joyau et leur harmonieuse combinaison constituait la plus riche des parures. Et cette violence parfaitement contrôlée, même dans les morceaux les plus vifs, n'effaçait jamais la tendresse et la sensibilité que révélaient particulièrement les interprétations plus lentes.

Charles Delaunay, *Delaunay's Dilemma,* éditions W, Mâcon, 1985

Racisme envers Billie

Nous devions démarrer au Blue Room du Lincoln, dans la 43e Rue. [...] J'aurais dû me douter qu'il y avait quelque chose de pas clair quand la direction m'a offert un appartement dans l'hôtel : je n'en avais pas besoin puisque je pouvais rentrer à la maison. Pas besoin de loge non plus, je pouvais arriver tous les soirs habillée et maquillée, et Artie aimait que je reste sur scène toute la nuit et que je sois belle. Or tout le monde faisait pression sur lui pour que je reste enfermée dans l'appartement qu'on m'avait «offert» jusqu'au moment de chanter, et que je ne me mêle pas aux gens. Il n'avait pas le courage de me le dire. De plus, la direction a exigé que

j'entre par la porte de service. [...] Je me demande pourquoi je n'ai pas tout planté là, peut-être parce que maman se régalait de nous écouter à la radio tous les soirs : elle adorait ça. Au fur et à mesure, on m'a fait chanter de moins en moins, quelquefois une seule chanson dans toute la soirée, et encore c'était avant ou après le passage de l'orchestre sur les ondes. Finalement, quand ils m'ont eu presque complètement éliminée, j'ai éclaté et leur ai dit : «Allez vous faire foutre.»

Billie Holiday, *Lady Sings the Blues,* 1956, Parenthèses, 1984

Jouer vite

Quand j'ai débuté, ma première idole était Rex Stewart. A part lui, comme mon frère était saxophoniste, j'aimais les saxophones et les clarinettes. Quand je me suis mis à jouer vite, aucun trompettiste – sauf Rex – ne le faisait. [...] Mais je n'ai jamais joué ainsi pour sonner «différent». [...] Tout ce que je voulais, c'était jouer vite, comme une clarinette.

Roy Eldridge, *Jazz Magazine,* septembre 1977

H awkins et Davis, (à gauche). Armstrong et Billie Holiday (ci-dessus).

bop city

La révolution bop

Les acteurs du bop racontent ses lieux : le Minton's, l'Onyx. Plus récemment, le pianiste Martial Solal parle de Charlie Parker. Milton Hinton, Bill Dillard et Jacques Réda font le portrait de Gillespie. Le batteur Kenny Clarke

s'explique sur son rôle à l'époque. Hollywood découvre le bop : Ross Russell y était. Frank Bauer s'intéresse au nouveau style pour Jazz Hot. *Enfin, le saxophoniste Dexter Gordon se souvient des débuts du bop.*

Les lieux de l'éclosion

On a coutume de me demander qui a créé le bop. Ça n'a pas été l'œuvre d'une seule personne, mais de tout un groupe qui s'était rassemblé parce que ses membres avaient la même approche de la musique. Nous avions une conception du jazz qui était un peu différente de celle de la moyenne des musiciens qui jouaient à cette époque. Avant la guerre, nous avions plus de temps pour étudier et jouer ensemble.

La plupart des musiciens qui essayaient de faire autre chose – et il y en avait beaucoup à cette époque, à commencer par Dizzy, Roy Eldridge, Jimmy Blanton, etc. – innovaient isolément ou bien au sein d'orchestres où ce genre de plaisanterie n'était pas tellement apprécié et où ils risquaient quotidiennement leur place. Le grand mérite du Minton's a été de regrouper quelques-uns de ces musiciens en leur offrant la liberté d'innover comme ils le voulaient.

Et si le Minton's a tout de suite marché, c'est que c'était l'endroit idéal : un bar et une arrière-salle aux lumières tamisées, avec une estrade pour les musiciens et de petites tables pour les dîneurs. Le tout à la limite de Harlem. Le «patron» du Minton's, Henry Minton, avait été

saxophoniste dans son jeune âge et avait occupé un certain temps les fonctions de président de l'Union des musiciens. Il avait choisi un musicien pour diriger son club nouvellement acheté. Il avait eu raison et lorsque, vers octobre 1940, le Minton's ouvrit ses portes sous la haute direction de mon ancien chef d'orchestre Teddy Hill, il y avait sur l'estrade une petite formation maison qui s'époumonait à jouer du dixieland avec comme chef Happy Cauldwell. Au début de 1941, Teddy remercia Happy Cauldwell et me donna carte blanche pour former un petit groupe de quatre ou cinq musiciens.

Interview de Kenny Clarke par François Postif, in *Les Grandes Interviews de Jazz Hot*, L'Instant, 1989

Lorsque nous étions à l'Onyx, nous modifiions les accords de standards connus et créions des mélodies «qui collaient mieux». Nous ajoutions par exemple une quinte diminuée aux accords de base pour faire «plus moderne». Ces nouvelles compositions n'avaient pas de titre. Il me suffisait d'en fredonner le début « dee-da-pa-da-n-de bop» pour mes collègues et nous démarrions. C'est pendant notre passage à l'Onyx que la presse s'empara du terme be-bop pour la première fois.

Dizzy Gillespie, *in* Dizzy Gillespie et Al Fraser, *To Be or Not to Bop*, 1979, Presses de la Renaissance, 1981

Un témoignage sur Parker

Tout ce que Bird voulait, c'était vivre et jouer du saxo. Le saxo, c'était plus important que les femmes. C'est seulement après avoir joué qu'il pouvait parler à quelqu'un. Si vous voyiez Bird entrer dans une boîte où il n'était pas programmé, vous pouviez deviner le scénario. Il allait droit au bar et se rapprochait lentement mais sûrement de l'orchestre, reculait de quelques pas, puis se rapprochait de nouveau et finissait par jouer. Il avait toujours son bec avec lui, sauf à l'époque où ses admirateurs et autres chasseurs de souvenirs le lui fauchaient, mais il trouvait le moyen de s'en procurer un autre.

Harold «Shorty» Baker, cité par Robert Reisner in *Bird, la légende de Charlie Parker*, 1962, Belfond, 1989

L'apport du Bird

Je pense toutefois que Parker a apporté beaucoup plus que le côté harmonique du be-bop. Les harmonies existaient par ailleurs. Son phrasé par contre, notamment au niveau rythmique, est tout à fait nouveau. Avant le Bird, on jouait des croches ou des triolets de croches, avec des blanches et des noires. Parker a mélangé le tout en y ajoutant les doubles croches et même les triples croches dans les ballades. Il faisait intervenir dans chaque phrase une formule rythmique différente. La mise en place était aérienne, par-dessus les barres de mesure. Il pouvait passer de la troisième mesure à la onzième en une seule phrase. Ce fut un des apports de ce style, puisque après le be-bop on a cessé d'accentuer le début de chaque groupe de huit ou douze mesures. A telle enseigne qu'aujourd'hui il faut éviter de montrer que l'on sait «où l'on en est». L'auditeur peut être un peu dérouté s'il n'a pas la connaissance du morceau joué ou s'il ne compte pas les mesures. Lester Young avait d'ailleurs ébauché cette esthétique.

Martial Solal, in *Jazz Hot*, juin 1976

Triple portrait pour Dizzy

Dizzy était tout ce que son surnom implique. Fou comme une tomate, et qui essayait des tas de trucs nouveaux. Il n'était pas toujours capable de les exécuter, mais il essayait… et il se faisait insulter. S'il ratait son coup, tout le monde lui tombait dessus. Moi, il m'a drôlement ébranlé. Et il a ébranlé tout l'orchestre aussi. [...] Moi, je suis plus âgé que lui, mais il en savait bien plus que moi. Il faut dire qu'il avait déjà pas mal traîné ses bottes à Philadelphie et à New York, où il avait joué avec quelques caïds. Il était plongé jusqu'au cou dans ses histoires de progressions harmoniques, de substitutions, et autres innovations qui ne nous effleuraient même pas à ce moment-là.

Milton Hinton, cité *in* Dizzy Gillespie et Al Fraser, *op. cit.*

Dizzy Gillespie (ci-contre), Kenny Clarke (page de droite).

Diz n'a jamais ressemblé à aucun autre jazzman. Je me rends compte maintenant qu'il élaborait déjà sa conception du jazz moderne, qui nous dépassait tous alors, avec une utilisation intéressante des notes altérées, et une profusion de traits éblouissants. Le be-bop et la musique progressiste s'en emparèrent plus tard; mais c'était son idée, une projection de sa créativité. Quant à sa technique de respiration, je ne sais que dire sinon que j'avais remarqué comme les autres qu'il distendait anormalement ses joues. Pourquoi a-t-il adopté cette méthode peu orthodoxe, puisqu'on apprend plutôt à rentrer les joues, je l'ignore. En tout cas, il l'a toujours pratiquée, même à ses débuts avec nous. Et au fond, qu'importe l'orthodoxie? Seul le résultat compte.

Parlons un peu de son sens de l'humour. Gigantesque! Je ne sais d'où lui vient son surnom, mais il a été bien choisi. «Tout fou», un peu «dingue», c'est lui, avec son énorme amour de la vie, son goût pour les facéties, son besoin de rire de tout et de rien, autant de traits de caractère que son jeu reflétait.

Bill Dillard, *op. cit.*

Inscrit au milieu du surnom de John Birks Gillespie, ce double Z n'évoque pas tout à fait par hasard l'attribut symbolique de Zeus qui flèche en zigzaguant. Comme suffirait à le démontrer le break de *One Bass Hit n° 2*, abrégé fulgurant le 15 mai 1946 de tout son parcours de soliste, Dizzy se prononce en effet tel l'éclair, passe avec la promptitude et la mobilité de la foudre. Pourtant cette trajectoire qui semble frôler l'irrationnel reste gouvernée par une logique. Rien n'est plus étranger à ce fou que l'affolement, la précipitation, ou cette obstination

qu'on trouve chez d'autres qui foncent comme pour démolir un obstacle. D'ailleurs le vrai sens de *dizzy* ne se rend pas par cinglé, comme on le croit trop souvent, mais par *pris de vertige*. Or si le vertige en général cède aux instances laborieuses de la raison (qui ne l'annule jamais sans murer en même temps la porte qu'il entrouvrait sur un gouffre de risques et de promesses), on le voit plus rarement maîtrisé par une imitation de ses lois, un renversement de ses propriétés en cette sorte de suréquilibre, qui fait Dizzy vertigineux.

Jacques Réda, in *Jazz Magazine,*
novembre 1977

Le rôle de Kenny Clarke

Le changement radical que j'ai établi dans le jeu de batterie se situe au niveau de la grosse caisse et de la cymbale. [...] Je suis parti de la constatation suivante, c'est que si l'on veut jouer sur la caisse claire avec la main gauche et frapper la cymbale «charleston» («high hat») de la droite, on est obligé de croiser les bras. Il est difficile de jouer ainsi longtemps tout en conservant une certaine souplesse. J'ai donc pensé qu'il était préférable de maintenir le tempo, très fermement mais très légèrement, avec la main droite sur la cymbale. La main gauche, sur la caisse claire (ou sur un des toms), et le pied droit, sur la pédale de grosse caisse, travaillent en étroite collaboration, fournissant les accentuations, les syncopes qui relancent sans arrêt les sections mélodiques du grand orchestre ou le soliste (d'une grande ou petite formation). Quant au high hat (la cymbale «charleston»), il marque en principe l'«after beat». Lorsqu'on joue le tempo sur la cymbale, tout est clair. Cela laisse le champ libre aux ensembles et au soliste, qui disposent du même coup de beaucoup plus de liberté pour improviser. Le soliste peut alors bouger sur ce tempo, stimulé qu'il est par les accentuations sur la caisse claire et la grosse caisse.

Kenny Clarke,
interview par Maurice Cullaz,
in *Jazz Hot*, juin 1976

Il y eut vraiment changement de style quand Kenny Clarke est entré dans l'orchestre de Teddy Hill. Il tirait un son nouveau d'une batterie, apportant une autre dimension à la section rythmique. Son surnom «Klook» lui est venu à cause d'une de ses figures de style favorites.

Teddy Hill racontait toujours :
– Dès que j'ai le dos tourné, il part dans son truc, là, klook-mop! klook-mop!
– Mais, Teddy, c'est justement ça qui manquait. Il a trouvé un truc génial.
– Ça coupe le rythme, quand même.
– En un sens, mais pas vraiment, parce que quand il lâche une de ses bombes sur le quatrième temps, ça fait rebondir la suite de plus belle, et de toute façon le tempo continue pendant ce temps-là. C'est génial.

Dizzy Gillespie, *op. cit.*

Le bop gagne la côte Ouest

Le sextette de Dizzy Gillespie débuta au Billy Berg's de Vine Street – situé à un ou deux pâtés de maisons du Sunset Boulevard de Hollywood le soir du 10

décembre 1945. [...] Il était neuf heures moins le quart. Et toujours aucune nouvelle de Charlie Parker. [...] Dizzy jeta quelques regards vers la porte d'accès. Levey posa ses baguettes pour reprendre les balais et commença à confectionner un rapide «shuffle» sur le tambour. Ce devrait être le rythme le plus rapide de la soirée. C'était *Cherokee*, un air favori de Basie, mais pris encore plus vite. Après que la rythmique eut trouvé sa carburation, les cuivres attaquèrent le riff de vingt-six mesures que les bopers ont intitulé *Koko*. C'est alors que, traversant la foule et les tables, Charlie Parker se dirigea vers l'estrade. [...] L'orchestre se trouva comme transformé. [...] L'introduction terminée, Bird se lança dans son premier chorus de soixante-quatre mesures. Il s'éloigna du microphone, il n'avait pas besoin de l'amplification. La salle s'emplit des notes du Bird. Elles s'échappaient en spirales de l'instrument – violentes, pénétrantes, innombrables, scintillantes, s'accumulant dans l'atmosphère comme pour l'emplir de sons jusqu'à ce que le local en soit saturé. Le club n'était plus qu'une vibration.

Ross Russell,
in *Jazz Hot*,
janvier 1970

Re-bop pour « Jazz Hot»

Le «re-bop», vous en avez certainement entendu parler, vous ne savez sans doute pas très bien ce que c'est, et en effet c'est assez difficile à expliquer. Le «re-bop» n'est pas un morceau, comme beaucoup le croient, ni un type particulièrement compliqué et moderne d'arrangements; c'est plutôt un style nouveau d'improvisation, basé sur l'utilisation d'accords et d'intervalles rarement employés jusqu'à présent dans

Dizzy Gillespie, dans la 52ᵉ Rue.

le jazz. En général les improvisateurs de style «re-bop» dédaignent tellement les accords fondamentaux tout en respectant d'ailleurs scrupuleusement l'harmonie originale du morceau, que l'auditeur non habitué a toutes les peines du monde à s'y retrouver. Le style fait également appel à une technique éblouissante, quoique ce serait une grosse erreur de croire que l'on ne puisse jouer «re-bop» que sur des rythmes rapides : j'ai entendu Hawkins prendre sept chorus «re-bop» à la file sur *Sunny Side of the Street.* Ceci m'amène à cette constatation que le nouveau style a pris terriblement en Amérique.

Frank Bauer,
«Nouvelles d'Amérique»,
in *Jazz Hot,* décembre 1946

Le bop selon Dexter

C'était une période vraiment spéciale. Mais en fait, à l'époque, nous ne nous rendions pas tellement compte du pas en avant radical que faisait la musique, parce que nous faisions à peu près tout d'une façon différente : nos vêtements, par exemple, étaient complètement différents, casquettes, bérets, etc. Et le langage… C'était un autre monde, vraiment : la plupart du jargon que nous utilisons aujourd'hui provient de cette période, le «slang», «to be hip», etc. C'était encore la guerre et certains des types étaient appelés aux armées, d'autres essayaient tous les trucs pour y échapper. Bref tout ce qu'on pouvait faire pour se démarquer («to stay out»), les gars le faisaient. Et New York était vraiment spécial ces années-là : la 52ᵉ Rue et le Minton's, c'est là que tout se passait.

Dexter Gordon,
in *Jazz Hot,*
décembre 1973

Les voix du jazz des origines à nos jours

Tirant ses racines des premiers chants noirs américains, le jazz est paradoxalement une musique à dominante instrumentale. Certes, les jazzmen multiplient sur leurs instruments les inflexions proches de la voix humaine, les effets de gorge, les grognements du timbre. Mais chanteurs et chanteuses sont laissés en marge des histoires du jazz, alors même qu'ils dépassent souvent en popularité leurs confrères instrumentistes.

Dès les débuts du jazz instrumental, chanteurs et chanteuses de blues se font accompagner par des musiciens de jazz, tandis que ces derniers les sollicitent, à l'occasion, pour les intégrer à leurs orchestres. Ainsi, tandis que le blues conserve son âpreté à travers les différentes écoles rurales et urbaines, qui conduisent à l'épanouissement du rhythm'n'blues, des artistes venus de la tradition archaïque s'intègrent à l'univers du music-hall des années vingt. Ma Rainey, Ida Cox, et celle que l'on surnomme l'«impératrice du blues», Bessie Smith, assurent la transition vers le jazz, avec des inflexions de voix et un répertoire toujours typiques du blues traditionnel.

Les hurleurs et la reine du blues

L'épanouissement du jazz à Kansas City, plaque tournante des migrations du blues, donne naissance dans les années trente à la tradition des shouters (hurleurs) qui, tel Jimmy Rushing chez Count Basie, forcent la voix pour couvrir le volume sonore croissant des orchestres. Figure emblématique du blues shouting, Big Joe Turner sera une source d'inspiration pour les chanteurs de rock'n'roll, au même titre que Louis Jordan. Plus typique de Harlem et plus sophistiqué, ce dernier se tient cependant en marge des préoccupations progressistes du jazz, par sa vocation d'amuseur farfelu et sa fidélité au boogie woogie, jusque dans les années cinquante.

Désignée par son immense succès populaire dans les années cinquante comme la «reine du blues», Dinah Washington est la digne héritière de Bessie Smith. La gouaille et la puissance de ses interprétations la rattachent au monde du blues, mais à travers ses mises en place sophistiquées, son répertoire varié et sa fréquentation des jazzmen modernes, elle s'affirme comme une chanteuse de jazz accomplie.

Vaudeville et tragédie

Marquée par l'univers du blues, Billie Holiday échappe cependant à toute classification. Elle est d'abord une grande tragédienne. Autrement dit, tout son art est au service du texte interprété. L'improvisation des mises en place, les variations mélodiques et le travail du timbre sont au service du climat dramatique, ce qui en fera la complice privilégiée de Lester Young.

Venue du vaudeville, et vedette, en 1933, du Cotton Club (*Stormy Weather*), Ethel Waters inaugure la longue série des chanteuses d'orchestre qui, en privilégiant les standards de la comédie musicale, relient le jazz swing au monde de la chanson américaine. Avec fraîcheur et générosité, Ella Fitzgerald portera à son plus haut point cet art de combiner l'interprétation des textes et la virtuosité musicale.

«Oop bop sh'bam»

Lorsque les bopers s'imposent dans les années quarante, ils trouvent une interlocutrice privilégiée en la personne de Sarah Vaughan. Pianiste accomplie, elle se montre solidaire de leurs options musicales grâce à une technique vocale exceptionnelle. De même que pour les bopers, la chanson n'est qu'un prétexte à l'improvisation, pour elle, les paroles valent moins par leur sens que par la musicalité qui s'en dégage. Elle l'explore en virtuose avant de se lancer dans des scats éblouissants.

Le scat aurait été inventé par Louis Armstrong en 1926, lorsque ayant oublié les paroles de *Heebie Jeebies*, il les remplaça par des onomatopées, comme cela se pratique dans différents folklores.

B essie Smith, l'«impératrice du blues» (ci-dessus). Ella Fitzgerald (à gauche).

Promue par la virtuosité d'Ella Fitzgerald, cette pratique permet aux vocalistes d'improviser à l'égal des instrumentistes. On comprend son succès auprès des chanteuses concernées, comme Betty Carter, par les préoccupations des bopers.

Le son défie l'emprise du sens

Dans la lignée d'animateurs désopilants tels que Cab Calloway et Leo Watson, les scateurs masculins du bop (Joe Carroll, Babs Gonzales, sans oublier Dizzy Gillespie) donneront à leur exubérance une dimension provocante, voire subversive. Dès les années trente, Slim Gaillard invente un langage de toutes pièces. Libéré de l'emprise du sens, le texte n'a alors d'autre but que le

Billie Holliday en compagnie de Ella Fitzgerald.

plaisir du son pur et les jeux de l'absurde. Contemporain du bop, Eddie Jefferson préfère utiliser le langage courant pour donner du relief à ses interprétations vocales des grands solos du jazz instrumental, tel le fameux *Body and Soul* de Coleman Hawkins. Jon Hendricks, au sein du trio Lambert, Hendricks & Ross, et Mimi Perrin, au sein des Double Six, iront jusqu'à reproduire des œuvres orchestrales entières. La vocation première de leurs textes est donc de restituer le phrasé et la sonorité des versions originales d'Art Blakey, Woody Herman ou Count Basie.

L'instrument porte-voix

Ainsi se trouve inversée l'aspiration commune à tous les instrumentistes : envisager l'improvisation comme l'expression d'un chant intérieur et faire de l'instrument une espèce de porte-voix, de prolongement du corps. De Louis Armstrong à Chet Baker, ils sont nombreux à quitter la trompette ou le saxophone à l'intérieur d'un morceau, le temps d'un chorus en scat. Certains doublent le discours instrumental d'une ligne mélodique chantée à l'unisson ou à l'octave. Très cultivée chez les contrebassistes (Slam Stewart, Major Holley, Henri Texier), cette pratique est fréquente à l'état de grognement spontané (le pianiste Oscar Peterson) ou de façon délibérée (le guitariste George Benson). Elle entre même dans les habitudes de certains «soufflants» à partir des années soixante-dix, avec les innovations d'Albert Mangelsdorff qui, associant le chant au son du trombone, obtient sur l'instrument un jeu multiphonique. L'avènement de l'électronique verra enfin la voix du soliste mixée avec celle des claviers par l'intermédiaire du vocoder (Eddy Louiss).

Du chant au borborygme

Dès les années vingt, Duke Ellington utilise les vocalises d'Adelaide Hall comme un pur instrument de musique, et, bientôt, les voix des Mills Brothers s'appliquent à reconstituer les différentes parties instrumentales d'un petit orchestre. Les prolongements, dans les années soixante, de ces premières expériences, trouvent peut-être leur ultime aboutissement avec Lauren Newton, dont la voix s'intègre à la section de trompettes du Vienna Art Orchestra. Mais au-delà de la fonction purement musicale, Abbey Lincoln a renoué avec l'authenticité du cri de révolte. De leur côté, les compositeurs contemporains ont fait l'inventaire des fonctions de la voix : chuchotement, langage, borborygmes, pratiques musicales extra-européennes, autant de sujets d'improvisation pour les vocalistes d'aujourd'hui, de Bobby McFerrin à Tamia.

Voix blanche

Les Blancs sont nombreux à emprunter les chemins ouverts par les vocalistes noirs. Fortement marquée par ses consœurs noires américaines, Anita O'Day n'en reste pas moins une personnalité incontestée du jazz chanté. A l'inverse, l'art introverti de Helen Merrill, fascinant envers de Billie

S arah Vaughan, surnommée «The Divine».

Holiday, n'est pas du goût de tous les amateurs. Ils lui préfèrent souvent la générosité d'un Mel Tormé, surnommé «Velvet Fog» (brume de velours) pour son timbre mœlleux, ou même la voix adorablement mutine de la pianiste Blossom Dearie. Les vocalistes blancs nous amènent bien souvent à la frontière de la variété américaine, elle-même fortement imprégnée de jazz. Ainsi le plus grand des crooners, Frank Sinatra, fut une source d'inspiration des plus répandues, du trompettiste Miles Davis au guitariste Wes Montgomery. Quant à l'actrice Julie London, il est plus d'un amateur de jazz qui collectionne secrètement les pochettes de ses disques.

Guide discographique du jazz classique

Les enregistrements de jazz classique ont été réalisés sur 78 tours. Depuis l'apparition du microsillon puis du disque compact, chaque face 78 tours a été éditée de multiples manières, selon divers regroupements, sous les titres et références commerciales les plus variées. Essayons d'y voir clair.

La valse des labels

Les collectionneurs s'y retrouvent tant bien que mal, grâce aux discographies. Celles-ci permettent l'identification de chaque enregistrement par sa date, son lieu, son personnel musical, le titre, le numéro de matrice (gravé directement dans la «cire» qui reçoit l'enregistrement) et une liste sommaire de références commerciales sous lesquelles ont été rééditées ces faces de par le monde. Ainsi, pour chaque artiste, est dressé l'inventaire chronologique des enregistrements auxquels il a participé. Avant de se servir de ces outils réservés à l'usage des spécialistes, l'amateur devra déjà apprendre à décrypter les crédits discographiques qui figurent (dans les meilleurs des cas) sur les pochettes des rééditions en microsillons 33 tours (long playing discs ou Lp) et disques compacts (ou Cd). Il apprendra à y repérer les enregistrements qui lui ont été conseillés (ex : le *Body and Soul* de Coleman Hawkins du 11 octobre 1939). Il y découvrira que la carrière d'un artiste peut se répartir, selon les périodes, sur plusieurs marques. Une intégrale d'artiste sur une marque doit souvent être complétée par une ou plusieurs autres intégrales sur des marques concurrentes. Il constatera que l'enregistrement qu'il recherche se trouve commercialisé sur différentes éditions, voire sur différentes marques. La valse des labels au gré des faillites et des rachats nous interdit de dresser ici un tableau précis de la situation. Disons pour simplifier que le

JAZZ SOCIETY

EDITION LIMITÉE A 350 EXEMPLAIRES
NOT LICENSED FOR BROADCASTING

SOF 5279   AA 539

WEST END BLUES
OLIVER

KING OLIVER'S
DIXIE SYNCOPATORS

DR

encyclopédique entreprise chez Média 7). Plusieurs types de rééditions s'offrent au public : des anthologies thématiques regroupent différents artistes autour d'un sujet, d'un lieu ou d'une époque donnée; des sélections autour d'un artiste

patrimoine du jazz enregistré avant 1940 est détenu aujourd'hui par trois grandes compagnies (les major companies) : CBS, BMG/RCA, MCA. S'y ajoutent une foule de petits catalogues «indépendants», comme Commodore, accessibles au gré des contrats de fabrication ou de distribution.

Sans s'attarder sur le cas des éditeurs «pirates» qui font illégalement commerce de catalogues ne leur appartenant pas, il faut signaler que la législation fait tomber dans le domaine public la propriété d'un enregistrement après une certaine période (cinquante ans pour la France depuis la «loi Lang»). Cette indélicatesse du législateur, qui prive les maisons de production de leur patrimoine, présente cependant quelques avantages. Elle ouvre certes la voie à la publication sauvage de rééditions réalisées n'importe comment par des maisons peu scrupuleuses. Mais à l'inverse, elle permet le travail de spécialistes qui s'efforcent de rassembler les œuvres dispersées sous différentes marques. Ceux-ci complètent ainsi les lacunes des major companies, souvent fort négligentes en matière de réédition. En France, trois collections se disputent plus particulièrement le marché : Jazz Classics In Digital Stereo de la BBC (distribuée par Média 7). Classics (distribuée par Mélodie) et Masters of Jazz (œuvre monumentale de réédition

proposent un survol d'une œuvre (selon un ordre qui peut aller du chronologique aux solutions les plus farfelues); certaines intégrales se contenteront de présenter les «master takes» (la prise qui, parmi d'autres versions du même titre réalisées le même jour, a été retenue pour la première édition); d'autres intégrales proposent toutes les «alternate takes» (les prises rejetées au moment de la première publication), ce qui nous vaut d'entendre l'une après l'autre plusieurs versions d'un même morceau (cette exhaustivité nécessaire au collectionneur peut s'avérer aussi rapidement rébarbative, surtout lorsque parmi les «alternate» figurent les prises inachevées); enfin, un éditeur peut choisir de ne travailler que sur une période, une série, voire une séance qui lui paraît particulièrement représentative du talent d'un artiste.

Comment restaurer un enregistrement original

Il faut relativiser les progrès permis dans le domaine de la restitution par les nouvelles techniques. C'est d'abord en encourageant les éditeurs à rechercher les originaux les mieux conservés que ces techniques ont été facteur de progrès. Cependant, après restauration de l'original, toute une gamme d'opérations informatiques permet d'intervenir sur le son lui-même, pour le meilleur et pour le pire. Deux philosophies de la haute fidélité s'affrontent sur ce terrain. La première, scrupuleusement fidèle, s'attache à restituer le son du document original, éventuellement en le «nettoyant», par filtrage, des altérations dues à l'usure du temps. Dans la seconde, l'ingénieur cherche à restituer ou, plus exactement, à imaginer le son de l'orchestre, par-delà les incertitudes dues aux approximations des enregistrements d'époque. Il s'agit, entre autres, de spatialiser le son de l'orchestre, en recréant de façon artificielle des effets de stéréophonie et d'écho. Ces tentatives qui connurent par le passé des résultats catastrophiques furent couronnées de succès avec la collection Jazz Classics In Digital Stereo, sous la responsabilité de l'ingénieur Robert Parker.

Destinée à permettre l'illustration d'une initiation à l'histoire du jazz classique plus qu'à établir une discographie de référence, la sélection qui suit est condamnée, comme tout essai de ce type, à être partiellement dépréciée dès sa parution par l'évolution rapide des catalogues. Elle ne se rapporte donc pas systématiquement aux références commerciales du moment. Les informations ci-dessus permettront d'en adapter les choix au fil des parutions et suppressions. Elles ne prétendent cependant pas remplacer la lecture de la presse ni les services d'un bon disquaire.

Retour aux sources

Peu de documents permettent d'illustrer les débuts du jazz. On trouvera cependant, réédités sous différents labels, les collectages des ethnomusicologues, tels ceux réalisés par Alan Lomax et ses confrères pour la Library of Congress (la Bibliothèque du Congrès, à Washington), notamment en

ce qui concerne de nombreux work songs retrouvés dans les pénitenciers américains. Negro spirituals et gospels mériteraient une discographie à part. Il faut connaître le célèbre *In the Upper Room* de Mahalia Jackson (Vogue) et mettre la main sur le fameux prêche du révérend A.W. Nix *The Black Diamond Express To Hell*. Trois anthologies permettent une immersion fructueuse dans le monde religieux noir américain : «Hot Gospel» (Gospel Heritage/Média 7) «The Gospel Scene» (Sonet/Virgin) et «Good News» (New Cross Gospel Series/ Média 7). L'écoute intégrale des faces Speciality (Média 7) du chanteur Sam Cooke sera l'occasion de comprendre le glissement progressif du gospel à la soul music, et le concert de Solomon Burke à Washington en 1981, publié sous le titre «Soul Alive» (Rounder/Média 7), illustre à merveille les liens persistants entre les deux genres. Le blues mériterait également à lui seul une discographie. Certaines anthologies permettent de survoler le monde du blues : «Black & Blues» (Vogue, à partir du célèbre catalogue Chess) et «Legend of the Blues» (de l'excellente collection «Roots'n'Blues» chez CBS). «Rhythm'n'Blues House Party» (Ace/Média 7) et 7Honky Tonk Jump Party» (Charly/Média 7) aideront avantageusement les soirées dansantes. CBS et BBC proposent des rééditions de Bessie Smith d'un égal intérêt.

Au temps du piano mécanique

Là encore, peu de documents sont disponibles concernant les premières manifestations instrumentales. Toutefois de nombreux rouleaux pour piano mécanique nous donnent accès aux interprétations des grands du ragtime, bien représentés sur le catalogue Biograph (Média 7). Quant à La

Nouvelle-Orléans, on se contentera des enregistrements de 1917 de L'Original Dixieland Jazz Band.

L'explosion discographique des années vingt

A partir de là, selon les bourses et les motivations, on hésitera entre les sélections en stéréo de la BBC, les intégrales de master takes chez Classics, ou la monumentale intégrale des Masters of Jazz (alternate takes, abondance des détails discographiques et musicologiques, suivi de carrière d'un musicien sous son propre nom et sous la direction d'autres musiciens). Par exemple : en ce qui concerne les Red Hot Peppers de Jelly Roll Morton, on pourra concentrer son choix de différentes manières sur les excellentes faces enregistrées entre 1926 et 1929, la carrière de Morton en piano solo présentant une égalité sans faille.

On pourra encore se reporter aux catalogues des major : CBS (et sa collection Masterpieces), BMG/RCA

(sous le label Bluebird) et MCA (qui laisse ses possessions indisponibles depuis des lustres). La CBS est détentrice des incontournables faces des Hot Five et Hot Seven de Louis Armstrong, ou des joyaux du piano stride réunis sur «From Ragtime To Stride» de James P. Johnson. BMG réédite Fats Waller. Pour s'en tenir à l'essentiel, on complètera les premières faces CBS d'Armstrong par ses premiers enregistrements de 1923 chez King Oliver (The Complete King Oliver's Creole Jazz Band, Music Memoria/ Virgin).

Ceux qui voudront survoler la carrière de Sidney Bechet, de ses enregistrements avec Armstrong chez Clarence Williams à ses succès populaires des années cinquante, pourront le faire à travers les faces rassemblées par Music Memoria, BMG, Blue Note/EMI et Vogue.

Swing et big bands.

Les catalogues à la disposition de l'amateur restent les mêmes pour les années trente, mais, en parvenant aux années quarante, on sort du domaine public. Polygram entre alors dans la danse avec le catalogue Verve.
Les carrières d'Ellington et Basie méritent quelques conseils. Pour le premier on peut par exemple survoler la période jungle sur BBC et s'attarder sur les années quarante (et surtout 1940) avec les publications de BMG. Ensuite une foule d'enregistrements pour le microsillon sont à acquérir sur BMG/RCA («Far East Suite») et CBS («Such Sweet Thunder»), sans oublier la fabuleuse soirée de juin 1957 à Carrolltown («All Star Road Band», Doctor Jazz). Reste à résumer sa carrière de pianiste par les duos avec Jimmy Blanton («Solos, Duets and Trios», BMG), «Piano Reflections» (Capitol),

les rencontres avec Charles Mingus et Max Roach («Money Jungle», Blue Note/EMI), et les duos avec Ray Brown («This One's For Blanton», Pablo). Pour Count Basie, il faut avoir l'oreille d'une manière ou d'une autre sur les enregistrements de l'orchestre avec Lester Young entre 1937 et 1940, connaître les faces en octette de 1950 (CBS), et aborder la période «phrasé de masse» avec «April in Paris» (Verve) «Atomic Basie», «One More Time» (ce dernier depuis quelque temps disponible en compact sous le titre «Quincy Jones and Neal Hefti», Roulette/Vogue), non sans faire le détour par un enregistrement en public tel que «Autumn In New York» (Magic/ Média 7) ou les dernières faces Pablo. Les faces de Lionel Hampton de 1937 à 1941, rassemblées sur «Hot Mallets» (BMG), permettent d'entendre les principaux solistes de l'époque, ce qui ne dispense nullement d'acquérir, de quelque manière que ce soit, le *Body and Soul* enregistré par Coleman Hawkins le 11 octobre 1939, pour ne rien dire des enregistrements Commodore,

Verve («At the Opera House», qui permet également d'entendre Roy Eldridge), ou Pablo («Sirius»). Quant à l'œuvre de Lester Young sous son nom, on pourra l'aborder avec les faces Aladdin ou Savoy, et les faces Verve avec Teddy Wilson, John Lewis, Hank Jones ou Nat King Cole.

Pas de trace des débuts du bop

Hormis les enregistrements de Charlie Christian au Minton's, réédités sous différentes formes, on ne dispose pratiquement pas de documents sonores concernant les débuts du be-bop. Le fétichisme qui entoure Charlie Parker a encouragé une foule de maisons à multiplier les documents inédits les plus inaudibles. L'essentiel de son œuvre se répartit sur les catalogues Savoy (Vogue), Verve (Polygram) et Dial. Dans ces catalogues, l'acheteur doit choisir entre l'édition des master takes (éventuellement complétée par quelques alternate essentielles), et des éditions intégrales comprenant toutes les alternate (même celles interrompues après quelques mesures), voire les dialogues avec l'ingénieur du son. Le génie de Bud Powell éclate tout particulièrement sur Blue Note («The Amazing Bud Powell»). On aura un aperçu des débuts de Dizzy Gillespie à la tête d'une formation bop sur les rééditions du catalogue BMG, regroupées avec les faces en big band («The Bebop Revolution»), les faces Musicraft (ou Guild) étant aujourd'hui distribuées par Dam. Quitte à anticiper par rapport au découpage historique qui préside à ce livre, on conseillera les rencontres sur Verve avec Sonny Rollins, Sonny Stitt et Stan Getz (notamment l'exténuant «For Musicians Only» de 1956, typique des urgences du bop). Dans le même esprit, on conseillera, pour une première approche de l'œuvre de Thelonious Monk, de se reporter directement à ses derniers enregistrements londoniens de 1971 (Black Lion). Enfin, le légendaire concert donné au Massey Hall de Toronto, le 15 mai 1953, célèbre la quintessence du bop en compagnie de Charlie Parker, Dizzy Gillespie, Bud Powell, Max Roach et Charles Mingus (originaire du catalogue «Debut» de Charles Mingus et régulièrement réédité chez Carrère).

BIBLIOGRAPHIE

Ouvrages généraux

– *L'Aventure du jazz* (vol. 1 : *Des origines au swing* vol. 2 : *Du swing à nos jours*), James Lincoln Collier, Albin Michel, 1981.
– *Dictionnaire du jazz*, dir. Philippe Carles, André Clergeat, Jean-Louis Comolli, Laffont, 1988.
– *Le Grand Livre du jazz*, Joachim Ernst Berendt, L.G.F., 1988.
– *Le Jazz*, Lucien Malson, Christian Bellest, P.U.F., 1989.
– *Les Maîtres du jazz*, Lucien Malson, P.U.F., 1989.
– *Les Grands Créateurs de jazz*, Gérald Arnaud, Jacques Chesnel, Bordas, 1990.
– *Jazz*, André Francis, Seuil, 1991.

Témoignages, portraits, biographies

– *La Musique c'est ma vie*, Sidney Bechet, Table Ronde, 1977.
– *Mister Jelly Roll*, Jelly Roll Morton, Alan Lomax, P.U.G., 1980.
– *To Be or Not To Bop*, Dizzy Gillespie, Al Fraser, Presses de la Renaissance, 1981.
– *La Rage de vivre*, Mezz Mezzrow, Bernard Wolfe, Buchet Chastel, 1982.
– *Lady Sings the Blues*, Billie Holiday, Parenthèses, 1986.
– *Louis Armstrong*, James Lincoln Collier, Denoël, 1986.
– *Lester Young : Profession président*, Luc Delannoy, Denoël, 1987.
– *Big Bill Blues*, William Lee Conley Broonzy, Yannick Bruynoghe, Ludd, 1987.

– *Bird*, Ross Russell, L.G.F., 1988.
– *Good Morning Blues, Count Basie*, Albert Murray, Filipacchi, 1988.
– *La Vie quotidienne des jazzmen américains jusqu'aux années cinquante*, François Billard, Hachette, 1989.

Ouvrages spécialisés

– *Du chant au poème : essai de littérature sur le chant et la poésie populaire des Noirs américains*, Guy Claude Balmi, Payot, 1982.
– *L'Improviste 2 : Jouer le jeu*, Jacques Réda, Gallimard, 1985.
– *Le Blues authentique : son histoire et ses thèmes,* Robert Springer, Filipacchi, 1985.
– *Cotton club*, Jim Haskins, Jade, 1985.
– *Hommes et problèmes du jazz*, André Hodeir, Parenthèses, 1985.
– *Jazzistiques*, André Hodeir, Parenthèses, 1985.
– *Une histoire du blues : Devil's Music*, Giles Oakley, Denoël, 1985.
– *Le Blues*, Gérard Herzhaft, P.U.F., 1986.
– *Encyclopédie du blues*, Gérard Herzhaft, P.U.F., 1986.
– *Esclaves et Négriers*, Jean Meyer, Gallimard, 1986.
– *Histoire de la guitare dans le jazz*, Norman Mongan, Filipacchi, 1986.
– *L'Improviste 1 : Une lecture du jazz*, Jacques Réda, Gallimard, 1990, (1ère édition 1980).
– *Jazz mode d'emploi : Petite Encyclopédie des données techniques de base*, Philippe Baudoin, Outre Mesure, 1990.
– *Be-bop*, Alain Tercinet, P.O.L., 1991.

TABLE DES ILLUSTRATIONS

111 Kenny Clarke à la batterie, John Lewis au piano, Minton's Playhouse, 1951.

TÉMOIGNAGES ET DOCUMENTS

113 *Hot Lips,* partition.
114 *La Traite des Nègres,* gravure fin XVIIIe, musée des Arts africains, Paris.
115 Ouvriers noirs travaillant dans un champ de coton.
116 Mahalia Jackson à Lenox, Massachusetts, Etats-Unis.
117 Réunion de méthodistes noirs à Philadelphie vers 1810, aquarelle de Pavel Svinin.
118 vue de La Nouvelle-Orléans, fin XIXe.
119h *Old Man Jazz,* Fox-Trot song de Gene Quaw.
119b Jelly Roll Morton, édition limitée, Circle Records.
120 A black washboard band performing with home-made percussion instruments, 1940.
124 Louis Armstrong.
125 King Oliver, Louis Armstrong, St Louis, 1922
126 Louis Armstrong, concert en 1944.
127h Sidney Bechet.
127b *Ernest Ansermet,* dessin par Picasso, 1917, Spadem.
128 Earl Hines.
129 Publicité pour les concerts de Art Tatum, 1943.
130 Bennie Moten Kansas City orchestra, 1926.

131 Duke Ellington, 1928.
132 The Marquee of the Savoy Ballroom at night, 1940.
133 Lester Young.
134 Coleman Hawkins et Miles Davis.
135 Louis Armstrong et Billie Holiday à La Nouvelle-Orléans, en 1946.
136 Affiche *Bop City,* photo Herman Leonard
137 Charlie Parker, alto sax, Town Hall Concert New York, 1945.
138 Dizzy Gillespie, 1955.
139 Kenny Clarke à Paris en octobre 1946.
141 Dizzy Gillespie.
142 Ella Fitzgerald.
143 Bessie Smith.
144 Billie Holiday et Ella Fitzgerald.
145 Sarah Vaughan à New York en 1950.
146 *West End Blues,* King Oliver, disque Jazz Society, tirage limité.
147 *I'm Watchin' the Clock,* King Oliver, disque Jazz Society. tirage limité
149 Partition de piano swing de Fats Waller, vers 1939.
150h *Saint Louis Blues,* partition.
150 *Lumb'Rin'Luke,* partition.
151 «Swing Street», New York, 1941.
152-153 Louis Armstrong, Billie Holiday dans le film *New Orleans,* 1947.

INDEX

A

Afrique 15, 16.
Afrique de l'Ouest 13, 16.
Allen, Lewis 28.
Allen, Red 93, 93, 94, 99.
Amérique latine 16.
Ancien Testament 20.
Angleterre 20, 25.
Antilles 21.
Apex Club 54.
Appalaches (string band) 40.
Armstrong, Louis 35, 39, 44, 53, 54, 54, 55, 61, 92, 92, 93, 93, 94, 95, 96, 109.

B

Banjo 30, 36, 72.
Banza (bania, banjar, bango) 30.
Baptistes 18.
Barbarin, Paul 42.
Basie, William «Count» 82, 83, 84, 84, 85, 85, 88, 96, 105.
Bechet, Sidney 54, 55, 56, 95, 95.
Beiderbecke, Bix 58, 59, 93.
Berlin, Irving 62.
Berry, Chu 85, 99.
Bigard, Barney 42, 91, 95.
Birdland 105.
Black Minstrels 36.
Blanton, Jimmy 91.
«Blues» 22, 25, 25, 28, 29, 30, 30, 31, 36, 44, 74, 84, 105.
«Blue notes» 24, 25, 47.
Bolden, Buddy 48.
Broadway 58, 62, 82.
Broonzy, Big Bill 30

Brown, Lawrence 91.
Buffalo 88.

C

Café Society (New York) 110.
Californie 56, 109.
Calloway, Cab 72, 77, 79, 85, 88.
Calvinisme déterministe 18.
Canada 20.
Caraïbes 16, 40, 48.
Carnegie Hall 92.
Carney, Harry 91.
Carter, Benny 59, 95, 99.
Casino Theatre 62.
Catlett, Sidney 99.
Chicago 42, 53, 53, 54, 56, 57, 86.
Chicagoans 59, 79.
Chopin 37.
Christian, Charlie 99, 103.
Church of God in Christ 22.
Clarke, Kenny 98, 103, 103, 104, 108, 110.
Clayton, Buck 85, 99.
Clouds of Joy 84.
Cole, Cozy 99.
Coltrane, John 105.
Compagnie Victor (studio) 99.
Congo Square 42.
Cotton Club 59, 72, 79, 81, 82, 83, 85, 86, 88, 90, 90.
Creole Jazz Band 54.
Créoles 42, 44, 48.

D

Dance, Stanley 81, 89, 90, 95.
Davis, Miles 104.
Dixie Syncopators 42.
Dodds, Johnny 54, 54, 56, 72.
Dorsey, Tommy 78, 79.
Durante, Jimmy 49.
Dutrey, Honoré 56.

CREDITS PHOTOGRAPHIQUES

Collection Philippe Baudoin, 20, 22, 23h, 24h, 24b, 25, 33, 40g, 41, 50h, 51, 60, 61h 73h, 74h, 80, 83h,
89hd, 113, 115, 116, 119h, 150h, 150. The Bettmann Archive, New York 31h, 42-43h, 48, 49b, 49h,
61b, 32, 77, 81mg, 86-87, 87, 88b, 88b, 105h, 120, 132, 135, 139, 151. Bibliothèque Nationale, Paris 46,
55b, 63, 91h, 119b, 135, 146, 147. British Council Collection 65. Bulloz, Paris 12. Charmet (Jean-
Loup), Paris 13, 14b, 21, 64b, 149. Dagli Orti 19, 35, 78h, 114. Dite/Ips 116, 127, 142, 143. DR 18,
31b, 39h, 42, 44b, 45h, 74b, 88bd, 93, 103b, 106d, 111h. Franck Driggs Collection 32h, 53, 58h, 79b,
81md, 81bg, 81bd, 81hd, 90, 100, 104, 125, 129, 130, 137. Giraudon 4e plat de couv.Collection F.H. 11.
Kobal collection 152-153. Kunstmuseum Solothurn 23. Magnum 139. Magnum coll. F. Driggs 52, 54-
55, 57, 82 h, 89b, 91b, 94hd, 95 bd, 110b, 131, 145. New York Historical Society 26-27. Archives
Francis Paudras 15, 16, 17, 30h, 32b, 34, 36-37, 40h, 40b, 43b, 44h, 45b, 59, 63h, 64h, 81hg, 84h, 85,
95h, 96nd, 97, 101, 102, 106h, 106hg, 107, 109g, 111, 118, 136, 144, 145. Popperfoto 28, 30b. Max
Jones files/Redferns 46-47, 58b, 75, 78b, 82-83, 84, 98, 99. Photo William Gottlieb/Redferns 55h,
89hg, 92hg, 94hg, 96b, 103h, 104-105, 110h, 124, 128, 133, 134, 141. Roger Viollet 14h, 29, 36, 56, 117,
127 b. Springer Bettman Film Archive 76. UPI / Bettman 38-39, 50-51, 72-73, 79h, 86h, 108-109, 126,
138, 151.

REMERCIEMENTS

Les auteurs tiennent à remercier Philippe Baudoin pour son aide précieuse.

COLLABORATEURS EXTERIEURS

Maud Fischer-Osostowicz a effectué la recherche iconographique. Didier Chapelot a réalisé la
maquette. Béatrice Peyret-Vignals et François Boisivon ont assuré la lecture-révision. Béatrice
Fontanel a été responsable du suivi rédactionnel

Table des matières